CARTAS À IGREJA

CARTAS À IGREJA

—

FRANCIS CHAN

Traduzido por Luciana Chagas

Copyright © 2018 por Francis Chan
Publicado originalmente por David C. Cook, Colorado Springs, Colorado, EUA.

Os textos das referências bíblicas foram extraídos da *Nova Versão Transformadora* (NVT), da Editora Mundo Cristão (usado com permissão da Tyndale House Publishers), salvo indicação específica.

Todos os direitos reservados e protegidos pela Lei 9.610, de 19/02/1998.

É expressamente proibida a reprodução total ou parcial deste livro, por quaisquer meios (eletrônicos, mecânicos, fotográficos, gravação e outros), sem prévia autorização, por escrito, da editora.

Edição
Daniel Faria

Revisão
Natália Custódio

Produção e diagramação
Felipe Marques

Colaboração
Ana Paz

CIP-Brasil. Catalogação na publicação
Sindicato Nacional dos Editores de Livros, RJ

C43c

  Chan, Francis
    Cartas à igreja / Francis Chan ; traduzido por Luciana Chagas. - 1. ed. - São Paulo : Mundo Cristão, 2019.
    192 p.

    Tradução de: Letters to the church
    ISBN 978-85-433-0384-0 (brochura)
    ISBN 978-85-433-0424-3 (capa dura)

    1. Cristianismo. 2. Vida cristã. I. Chagas, Luciana. II. Título.

19-55664
CDD: 248.4
CDU: 27-584

Categoria: Igreja
1ª edição: maio de 2019 | 3ª reimpressão: 2022

Publicado no Brasil com todos os direitos reservados por:

Editora Mundo Cristão
Rua Antônio Carlos Tacconi, 69
São Paulo, SP, Brasil
CEP 04810-020
Telefone: (11) 2127-4147
www.mundocristao.com.br

Sumário

Agradecimentos — 7

1. A partida — 9
2. O sagrado — 28
3. A ordem — 42
4. A turma — 64
5. Servos — 78
6. Bons pastores — 93
7. Crucificado — 114
8. Libertos — 133
9. Voltando a ser igreja — 149

Epílogo: Sobrevivendo à arrogância — 175
Notas — 189

Agradecimentos

Muitas pessoas contribuíram para a elaboração deste livro, gente que me ajudou a batalhar por entre questões que envolveram teologia, lógica e gramática. Não há dúvida de que este foi um trabalho em equipe, como tem sido com a maioria das coisas em minha vida atualmente.

Obrigado sobretudo aos presbíteros da We Are Church, que oraram consistentemente por mim: Kevin Kim, Kevin Shedden, Justin Clark, Rob Zabala, Sean Brakey e Pira Tritasavit. Vocês serviram de modelo de intimidade com Cristo e, assim, me ajudaram a dar prioridade àquilo que é mais importante.

Obrigado em especial ao time de redação: Mark Beuving, que novamente me ajudou a editar e formular ideias; Kevin, Karmia e Jeanne, por ajudarem na organização do livro; Sean, por dedicar tempo a consolidar algumas das ideias; Liz, por me dar toda a liberdade, às vezes até mesmo se distanciando. Por último, mas não menos importante, obrigado a Mercy Chan, que no fim das contas acabou me salvando. Quem poderia imaginar que minha filha mais esquisita (brincadeirinha!) me ajudaria tanto?

Obrigado a todos os pastores da We Are Church por conduzir e amar as pessoas tão fielmente: Denys Maslov, Nate Connelly, Joe Pemberton, David Manison, Chaz Meyers, Paul Meyers, Brian Kusunoki, Aaron Robison, Peter Gordon, Marcus Hung, Jon Kurien, Angel Velarde, Marcus Bailey, David Schaeffer, Ryan Takasugi, Isaiah Pekary, Matt Shiraki, Al

Cortes, Kevin Lin, Brandon Miller, Felipe Anguiano e Kent McCormick.

Obrigado a Jim Elliston, que teve de elaborar duas capas diferentes em razão de eu ter mudado o título do livro.

Obrigado aos voluntários envolvidos com mídia e *marketing* digital e que despenderam muitas horas para ajudar neste projeto.

Obrigado à David C. Cook, por ser a casa editorial mais apoiadora e parceira com que alguém pode sonhar.

Obrigado a Paul Chan, por manter o escritório funcionando adequadamente de modo que eu estivesse livre para escrever.

Obrigado à minha esposa maravilhosa, Lisa, que nunca se queixou de eu andar tão ocupado nos últimos meses. E também a Ellie, Zeke, Claire e Silas, por se mostrarem filhos formidáveis e pacientes enquanto o papai escrevia.

1
A partida

Imagine-se abandonado em uma ilha deserta acompanhado de nada mais que uma Bíblia. Você não tem nenhuma experiência com o cristianismo, e tudo o que vier a saber sobre a igreja resultará da leitura que fizer dessa Bíblia. Como você vislumbraria a dinâmica de uma igreja? Falo sério. Feche seus olhos por dois minutos e tente visualizar a ideia que construiria acerca da igreja.

Agora pense em sua atual experiência com a igreja. As coisas se parecem?

Você consegue lidar com essa constatação?

Um pouco de contexto

Passaram-se nove anos desde que deixei a Cornerstone Church [Igreja Pedra Angular] em Simi Valley, na Califórnia, e as pessoas ainda me fazem a mesma pergunta: Por quê?

Por que você deixou uma igreja tão bem-sucedida? Por que deixou todas aquelas pessoas a quem amava?

Por que saiu do país quando parecia ser alguém cuja influência só aumentava? Suas crenças mudaram? Você ainda ama a igreja?

Você estabeleceu uma megaigreja, fundou uma faculdade, escreveu *best-sellers*, mantinha um *podcast* de grande audiência e, então, de repente deixou tudo isso e se mudou com a família para a Ásia. Não faz sentido!

Embora eu esteja ansioso para contar o que Deus vem me ensinando ultimamente, acho que será útil compartilhar o que ele me ensinou no passado. Espero esclarecer qualquer mal-entendido e falar um pouco sobre a razão de eu estar escrevendo este livro.

Em primeiro lugar, devo dizer que os anos em que estive em Simi Valley foram formidáveis. Eu literalmente sorrio enquanto escrevo isso. Passei mais de dezesseis anos como pastor da Cornerstone, portanto minha mente está repleta de memórias divertidas e muito significativas. Lembro-me do rosto de muitas pessoas, de amizades profundas, ocasiões espirituais e períodos de assombro diante do que Deus estava fazendo. Creio que passarei a eternidade com muitas pessoas que se apaixonaram por Jesus naquele tempo. Nada poderá invalidar o que houve ali.

Por que deixei minha megaigreja

Em 1994, aos 26 anos, decidi plantar uma igreja. Não era algo que eu havia planejado. Afinal de contas, não fazia nem um mês que havia me casado. Lisa e eu vínhamos enfrentando um tempo difícil em nossa congregação. Houve uma discussão entre os presbíteros e o pastor principal, que acabou sendo dispensado. Os membros da igreja discordavam entre si quanto a quem havia errado mais: os presbíteros ou o pastor. Todos se sentiam desencorajados por tamanha divisão. Os domingos não eram nada revigorantes, e eu não conseguia compreender como aquilo poderia agradar a Deus. Foi naquela época que anunciei à minha esposa uma ideia maluca: e se começássemos uma igreja em nossa casa?

Ainda que houvesse apenas uma dúzia de pessoas em nossa

sala de estar, isso não seria melhor do que o que vínhamos passando? Lisa concordou, e assim teve início a Cornerstone Church em Simi Valley.

Eu estava determinado a criar algo diferente de tudo o que tinha vivenciado. Aquela era a minha chance de erguer justamente o tipo de igreja do qual gostaria de participar. Em síntese, eu tinha três objetivos em mente. Primeiro, queria que todos nós cantássemos diretamente para Deus. E digo "cantar" mesmo. Não estou falando de se deixar embalar por uma cantoria rotineira ou motivada por culpa. Você já integrou um grupo que canta diretamente para Deus, de coração? Já cantou com reverência e entusiasmo? Cantou como se Deus estivesse mesmo ouvindo sua voz? É uma experiência poderosa, e eu queria que essa fosse uma marca da nossa nova igreja.

Segundo, eu desejava que todos nós realmente ouvíssemos a Palavra de Deus. Não seríamos aquele tipo de gente que se reúne para escutar tolices em forma de autoajuda, nem deixaríamos metade da Bíblia de lado. Minha intenção era que investigássemos as Escrituras a fundo — até mesmo as passagens que contradizem nossa lógica e nossos anseios. Eu queria que a exposição da verdade divina fosse vigorosa e que a levássemos a sério. Então, comecei a pregar, semana após semana, examinando cada verso bíblico. Verdadeiramente nos dispusemos a ouvir tudo o que a Palavra de Deus estava nos dizendo.

E, por fim, eu almejava que todos vivêssemos em santidade. Já tinha visto muitas igrejas abarrotadas de cristãos que pareciam não ter nenhum interesse em fazer o que a Bíblia diz. Não conseguia me conformar com a trágica ironia disso tudo. Aquela gente retornava toda semana para ouvir sobre um Livro que lhes ordena: "Não se limitem, porém, a ouvir a palavra; ponham-na em prática" (Tg 1.22), mas, ao que tudo indicava, aquilo não gerava efeitos. Não que eu fosse perfeito ou esperasse que outros o fossem, mas eu imaginava nossa igreja como um grupo no qual as pessoas se incentivassem mutuamente à ação. Não fazia sentido ensinar as Escrituras sem experimentar mudança. Portanto, desde o comecinho, nós desafiamos um ao outro a agir.

Basicamente, foi o que ocorreu. Se conseguíssemos avançar rumo a esses objetivos, eu ficaria feliz.

Quem dera você pudesse ver o modo como Deus trabalhou naqueles primeiros dias! As coisas deslancharam! Não havia perfeição, mas, sim, muita paixão. Os visitantes achavam nossos cultos envolventes, e assim crescíamos. Alugamos o espaço da cantina de um colégio local e depois nos transferimos para um lugar onde antes funcionara uma loja de licores, próximo a uma unidade da rede de alimentação e entretenimento Chuck E. Cheese's. Quando já não cabíamos mais ali, mudamos para um edifício próprio. Não muito tempo depois, esse edifício teve de ser consideravelmente ampliado. O Senhor estava movendo corações, a quantidade de gente que se reunia para cantar e ouvir a Palavra de Deus continuava crescendo, e tivemos de incluir novos cultos em nossa programação. Chegamos a dois cultos nas noites de sábado e três cultos matinais aos domingos e, então, percebemos a necessidade de plantar congregações em cidades vizinhas. Era inacreditável. Nosso serviço de *podcast* ganhava diariamente inscritos do mundo todo, derramávamos nosso coração à medida que cantávamos a Deus, e fazíamos tudo isso com grande convicção.

Nossos cultos eram cheios de vivacidade. As pessoas vibravam quando eu lhes contava que suas ofertas em dinheiro ajudavam gente carente em países subdesenvolvidos. Muitos casais adotaram crianças que até então não haviam conseguido atendimento em abrigos. A frequência às nossas reuniões e o valor das ofertas aumentaram consistentemente por anos a fio. Todo fim de semana tínhamos batismos, e muitas vidas eram transformadas. Não havia nenhuma outra igreja da qual eu gostaria de fazer parte. Contudo, mesmo depois de tanto tempo, não consegui me desvencilhar daquela sensação de que faltava algo. Não tinha nada a ver com os membros da igreja, nem com a equipe que Deus havia provido para me ajudar na liderança. Éramos bem-sucedidos em nos mantermos fiéis aos objetivos que fundamentaram o DNA da igreja. Mas havia algo fora do lugar.

Em determinado momento, alguns presbíteros começaram a cogitar que nosso conceito de sucesso talvez estivesse inadequado. Era aquilo mesmo que a igreja deveria ser? Era aquilo que Deus tinha em mente quando a estabeleceu? Começamos a questionar se nossa definição de igreja coincidia com a de Deus. O presbitério da Cornerstone examinou as Escrituras comigo e me desafiou a refletir sobre o que Jesus queria da igreja. Aqueles homens de Deus me encorajaram e me instigaram durante aquele período, e foi com muita alegria que servi junto deles.

Um dos principais pontos que questionamos foi o grau de amor que tínhamos uns pelos outros. Cornerstone era, em muitos sentidos, uma igreja bastante amorosa. Mas, comparada ao exemplo da igreja primitiva descrita no Novo Testamento, certamente deixava a desejar. Jesus disse que o mundo nos conheceria pelo amor que expressamos (Jo 13.35). Como presbíteros, chegamos à dura conclusão de que, ao nos visitar em um de nossos cultos, os descrentes não viam nada de sobrenatural no modo como amávamos uns aos outros.

Outro aspecto que observamos foi que tudo havia crescido de maneira muito atrelada a uma única pessoa. Mesmo quando falávamos sobre a construção de um novo espaço e as consequentes despesas, os presbíteros se perguntavam o que aconteceria caso eu não fosse mais o pastor. E se a Cornerstone se tornasse mais uma daquelas igrejas fadadas a ocupar um templo grande e vazio? Repito: isso era um grande problema! Não apenas por causa do gasto, mas porque nenhuma igreja deveria depender de alguém. Queríamos que as pessoas viessem à Cornerstone para experimentar o agir do Deus todo-poderoso e o mover do Espírito Santo — não para ouvir Francis Chan.

Em razão de minha liderança se mostrar tão proeminente na igreja, comecei a ver que isso impedia o desenvolvimento de outros que também deveriam ter essa função. Quando passei a incentivar e a liberar membros da minha equipe e presbíteros para que se envolvessem em novos ministérios, vi que eles cresceram muito com a oportunidade de pastorear.

A Bíblia nos diz que todo membro do corpo tem um dom necessário ao funcionamento da igreja. Quando olhei para o que acontecia em Cornerstone, notei que poucos contribuíam com seus dons, enquanto milhares de outros apenas vinham, permaneciam uma hora e meia sentados no templo e iam embora. A forma como havíamos organizado a igreja dificultava o desenvolvimento daquelas pessoas, e todo o corpo se enfraquecia por causa disso.

Era vergonhoso ter de abordar ordens bíblicas que nós mesmos negligenciávamos. Decidimos mudar aquele cenário. Na época, eu não tinha ideia de quão difícil seria fazer isso. Sentia-me frustrado com o andar das coisas, mas me faltava clareza sobre onde precisávamos chegar. Eu estava certo de que a mudança era necessária, mas não sabia como concretizá-la. Alguns de meus sermões naquele período devem ter soado mais como rompantes de um velhote raivoso do que como palavras de um pastor sábio e amável que conduz seu rebanho por pastos verdejantes.

Testamos várias abordagens. Tentamos diminuir a frequência das minhas preleções para possibilitar que alguns pastores associados assumissem maior responsabilidade, mas acabamos descobrindo que era difícil para eles liderar sob a minha "sombra", por assim dizer. Buscamos encorajar pessoas a formar pequenas congregações domésticas, mas elas haviam se acostumado com as vantagens de ter um grupo cuidando das crianças e alguém responsável pela pregação em grandes cultos. Por fim, desistiram das reuniões em casa. Houve até mesmo um período em que me afastei da congregação-sede em Simi Valley e ajudei a formar diversos grupos domésticos na região de Los Angeles. A iniciativa ganhou força, mas o pessoal em Simi precisou de mim. Foi uma temporada bastante penosa. Atribuo aos irmãos da igreja todo crédito por suportarem tamanha provação e tantos equívocos. No fim das contas, as pessoas começaram a se sentir desanimadas e decepcionadas, e um pequeno êxodo teve início.

Mudando as regras

Um jovem da igreja descreveu muito bem a situação. Segundo ele, a impressão era de que as regras tinham mudado de uma hora para outra. O rapaz explicou que durante muito tempo lhe haviam ensinado que a salvação era um dom gratuito e que o evangelho garantia um relacionamento pessoal com Jesus. Era como se alguém lhe tivesse presenteado com um par de patins de gelo. Exultante, o moço foi até a pista de patinação e aprendeu todo tipo de manobra. Ele curtiu a experiência e a repetiu durante anos. Agora, de repente, vinha alguém dizendo que, na verdade, os patins lhe foram entregues para que ele compusesse nosso time de hóquei sobre gelo e batalhasse conosco pela conquista de um campeonato. A intenção não era que ele desse piruetas em torno de si. Que diferença! Como não havia respaldo bíblico que lhe permitisse discordar, foi apenas uma questão de tempo para que o moço realinhasse seus pensamentos e seu estilo de vida.

Em retrospectiva, vejo que não fui um bom líder. Eu ansiava por transformação, mas não tinha um bom plano para isso. Também não tinha paciência para ajudar a congregação a lidar com tamanha mudança de paradigma. Acabei frustrando algumas pessoas que me eram preciosas. Quando deixei Cornerstone, eu o fiz com a genuína certeza de que meu tempo ali havia terminado e que a igreja poderia avançar melhor sem mim.

Houve muitos outros fatores também. Ao ser questionado por que saí, sinto real dificuldade para indicar um único motivo. Eu vinha perdendo a paz e a humildade à medida que minha popularidade como preletor e autor crescia.

As redes sociais tinham sido inventadas pouco tempo antes disso, possibilitando que indivíduos que me eram totalmente desconhecidos me elogiassem ou acabassem comigo. Eu não sabia lidar com tantas críticas e bajulações. Minha vontade era correr daquilo tudo. Também me debati ao ver que em nossa cidade era crescente o número de igrejas biblicamente fundamentadas, enquanto muitos outros lugares do planeta careciam de um firme testemunho cristão. Não parecia necessário ter muita fé para seguir fazendo o que eu fazia, e eu queria viver por fé. Além disso, era bem obscura para mim a ideia de como lideraria Cornerstone no futuro. Não é preciso dizer que foi um período um tanto quanto perturbador.

Sem dúvida, deixar Cornerstone não foi uma decisão fácil. Enquanto eu ainda lutava me perguntando se aquilo era o melhor a ser feito, fui pregar em um evento. Lisa me acompanhou e, no caminho, tivemos uma conversa que me impactou. Naquela época, meu dilema sobre a permanência em Simi Valley era uma questão completamente pessoal. Nunca havíamos conversado sobre o assunto. Cornerstone era nosso bebê, e Simi Valley, nosso lar. Porém, quando finalmente indaguei Lisa acerca do que ela nos imaginava fazendo pelo resto da vida, ela me surpreendeu dizendo que nossa missão em Simi Valley estava concluída e que era hora de mudar. Ela chegou a propor que fôssemos para outro país, algo que coincidia perfeitamente com o que eu vinha cogitando.

Quinze minutos depois, recebi um telefonema de meu amigo, Jeff, membro da Cornerstone. Ele relatou que sentia como se Deus o instruísse a me dizer: "Apenas vá. Não se preocupe com a igreja. Há outras pessoas para cuidar dela". Aquilo me soou espantoso! Não havia nenhuma possibilidade de Jeff saber o que Lisa e eu tínhamos acabado de conversar. Ninguém sabia o que se passava em minha mente.

Depois disso, as coisas começaram a se encaixar, e eu passei a sentir paz cada vez maior quanto à decisão de partir. Lisa e eu chegamos a sentir que ficar seria um ato de desobediência. Acabamos vendendo nossa casa em Simi Valley e seguindo com toda a família para uma temporada na Índia, na Tailândia e na China. Foi uma aventura incrível que nos tornou mais unidos e nos ajudou a ajustar o foco de nossa missão. Vi enorme destemor e grande ousadia nos pastores indianos, que tinham renunciado tudo pelo Senhor. Testemunhamos a simplicidade da vida rural na Tailândia e a alegria de homens e mulheres que dia após dia se dedicavam a órfãos e viúvas. Na China, vi o evangelho se espalhar como fogo à medida que irmãos suportavam perseguição e até mesmo se alegravam nela.

Durante todo esse tempo, Lisa e eu oramos em família acerca do destino ao qual Deus nos levaria. Por pouco não ficamos em Hong Kong, onde chegamos a visitar alguns imóveis residenciais e também escolas para as crianças. Então, um dia, de fato senti como se o Senhor estivesse falando comigo.

Por favor, entenda que não digo isso de maneira leviana. Minha formação é extremamente conservadora. Creio apenas naquilo que vejo registrado na Bíblia. Se minha teologia dá algum espaço para que eu ouça diretamente a voz de Deus, acho que nunca a ouvi antes daquele dia. Repito: não estou certo de ter ouvido o Senhor falar comigo, mas senti maior paz obedecendo àquilo que penso ter escutado do que ignorando. Realmente acredito que Deus estava me dizendo que voltasse para os Estados Unidos e plantasse igrejas. Enquanto estive fora, tive a oportunidade de vislumbrar o que a igreja poderia ser e quanto vigor ela poderia ter. Era como se Deus tivesse a intenção de que eu voltasse com essa nova perspectiva. Fiquei assombrado com o que ele parecia me dizer, pedindo que eu realizasse algo para o qual eu não tinha nenhum preparo nem habilidade.

Houve muita tristeza quando eu disse a Lisa e às crianças que sentia que Deus desejava que eu retornasse para os Estados Unidos. Estávamos tão felizes do outro lado do oceano! Éramos uma família mais unida, mais dependente de Deus e mais apegada às coisas eternas. O medo que experimentamos quando deixamos os Estados Unidos não era nada comparável ao medo de voltar para lá. Não queríamos perder o foco.

A viagem para casa

Em resumo, acabamos seguindo para San Francisco, sobretudo porque meu irmão tinha ali um apartamento de um dormitório onde poderíamos ficar. Eu não tinha plano nenhum. Só queria viver do modo mais coerente possível com o que entendia do texto bíblico. Em minhas orações, eu dizia ao Senhor que desejava viver como Cristo, e me parecia que Jesus sabia exatamente quem chamar para ser seu discípulo. Pedi pelo mesmo favor: que eu fosse capaz de tão somente andar pela cidade compartilhando o evangelho, talvez encontrando pessoas que o próprio Deus me desse como discípulos.

Fiz alguns amigos no primeiro ano, e começamos um ministério em que atendíamos aos pobres de Tenderloin, distrito de San Francisco. Alimentamos os desabrigados e saímos de porta em porta orando por gente que vivia em condições precárias. Embora, às vezes, fosse aterrorizante, eu amava o fato de estar vivendo por fé em solo norte-americano. Eu me vi em muitas situações nada confortáveis, mas parecia o certo a fazer. Ainda que, no fim das contas, as conversões genuínas não fossem tantas, eu testemunhava respostas poderosas de Deus às orações.

Lembro-me de ter perguntado aos meus filhos como se sentiram depois de uma das primeiras vezes em que saímos para evangelizar aquela região. Rachel, minha filha mais velha, respondeu sem hesitar: "Parece que acabamos de viver uma história bíblica". Eu compreendia o que ela queria dizer. Estávamos experimentando bem ali, nos Estados Unidos, algo compatível com o que líamos no Novo Testamento! Nós nos sentíamos vivos, em uma aventura que demandava fé, e tudo aquilo estava acontecendo praticamente no nosso quintal.

Embora as saídas evangelísticas diárias se mostrassem exitosas e apreciássemos a oportunidade de viver por fé, não havíamos plantado nenhuma igreja naquele período. Notei algumas deficiências em nosso ministério, motivadas pela falta de suporte de uma igreja forte, com presbíteros capacitados. Sabendo que esse era o meu chamado, reunimos alguns de nossos novos amigos em casa e começamos uma igreja. Vinte anos depois de formar Cornerstone em uma sala de estar, ali estávamos nós mais uma vez: minha incrível esposa e um grupo de amigos, sentados em uma sala, pedindo a Deus que nos usasse para edificar sua igreja.

Já se vão cinco anos desde que iniciamos a We Are Church [Nós Somos a Igreja], e as coisas têm sido bem diferentes desta vez. Lisa e eu temos crescido no entendimento das Escrituras e das intenções de Deus para a igreja. Em sua graça, o Senhor me mostrou os bons frutos dos tempos de Cornerstone, bem como alguns dos erros elementares que cometi ali. Espero poder ajudar outros irmãos a evitar as armadilhas em que caí.

Escrevo este texto em meio a uma das temporadas mais felizes e pacíficas que já vivi. Não que a vida seja fácil, pois não é. A paz vem de conhecer a Deus como nunca antes. Sei que realmente amei Jesus durante todo o tempo, mas o que vivencio agora é totalmente novo. Tenho me sentido obstinado por conhecê-lo e experimentar mais dele. O mais curioso é que minha intimidade com Deus está diretamente atrelada ao meu vínculo com a igreja. Isso é muito estranho para mim, pois, durante anos, era justamente me distanciando das pessoas, buscando ficar sozinho em minha sala de oração, que eu me sentia próximo dele. Pela primeira vez na vida, eu me sinto verdadeiramente perto de Deus enquanto oro com a minha igreja! É como se eu pudesse tocar a presença divina entre nós.

Isso me faz querer estar com todos os meus irmãos, pois é assim que chego mais perto de Jesus. Recentemente, um estudo cuja duração prevista era de uma hora tornou-se espontaneamente um período de treze horas de oração! Desfrutávamos da presença do Senhor de tal maneira que ninguém queria ir embora!

Talvez um dia o Senhor me chame para outro destino. Mas, neste exato momento, atrevo-me a dizer, com algum egoísmo, que espero que ele não faça isso. Não quero me separar da família que encontrei. Eu amo essas pessoas porque elas me levam para perto de Jesus. Nunca me senti tão seguro e tão bem acompanhado.

Problemas sérios

Costumo me entristecer ao falar a cristãos nos Estados Unidos, onde as pessoas não costumam se referir à igreja de maneira favorável. Pelo contrário, ouço reclamações. Já estive com muita gente que abandonou completamente a igreja. Esse é um problema sério! Espero que você não tenha se tornado insensível quanto a isso. Trata-se de algo que deve sempre constranger nosso coração. A igreja tem, sim, suas questões, mas Jesus ainda se refere a ela como Corpo dele, Noiva dele. Devemos amar sua Noiva, não nos queixar dela ou abandoná-la.

É verdade que, entre os que deixam a igreja, há rebeldes e arrogantes. Porém, creio que há outros que estão apenas confusos. Eles amam Jesus, mas tiveram dificuldade para associar o que leram na Bíblia ao que vivenciaram na igreja. Não estou sendo indulgente com essas pessoas — afinal, Deus ordena que nos reunamos com outros irmãos e os instiguemos a agir (Hb 10.24-25). Estou apenas dizendo que algumas de suas preocupações têm base bíblica e devem ser consideradas. Mesmo com um livro como este, espero encorajar os desgarrados a retornar. As Escrituras dizem que ninguém é dispensável e que o Corpo não pode funcionar corretamente quando falta alguém.

Definitivamente, nenhum outro livro meu foi tão difícil de escrever quanto este, principalmente porque tenho procurado manter em mente o texto de 1Tessalonicenses 5.14. Nessa passagem, Deus diz que devemos advertir os indisciplinados e encorajar os desanimados. Isso é tranquilamente factível quando conhecemos bem as pessoas a ponto de saber do que precisam. O problema de escrever um livro de grande alcance é que alguns de vocês precisam de um abraço mas se sentirão chutados, e outros, que precisam de um cutucão, se sentirão encorajados! No que diz respeito aos que amam Jesus e se sentem desmotivados, oro para que este livro lhes dê esperança para alcançar tanto quanto for possível. Quanto àqueles que propositalmente ou inconscientemente prejudicam a igreja, oro para que Deus lhes dê a graça do arrependimento. Recentemente, ocorreu-me que Jesus escreveu para sete igrejas, uma carta para cada uma, conforme registram os capítulos 2 e 3 de Apocalipse. Estou tentando escrever a milhares de igrejas diferentes por meio de um único livro! E a redação de Jesus é bem melhor que a minha...

Quando terminei de escrever este livro, notei que ele mais se parecia com uma coleção de cartas independentes, mas relacionadas. Cada capítulo/carta aborda um aspecto sobre o qual a igreja que você frequenta pode ou não precisar se debruçar. Orei para que o Espírito Santo ajude você a discernir quais cartas devem chegar ao seu coração e ao coração de sua igreja. Este livro não trata de detalhes obscuros que identifiquei em

Levítico, mas das instruções mais óbvias repetidas em toda a Bíblia. Tentei prestar atenção às ocasiões em que Deus parece mais aborrecido com o comportamento de seu povo. Há muita gente desejosa de mudar a igreja, mas, não raro, a motivação se baseia em preferências pessoais, e não em fundamento bíblico. O que busco destacar aqui é apenas o conjunto das verdades bíblicas mais evidentes sobre a vontade de Deus para sua Noiva — verdades que nenhum de nós pode se dar ao luxo de ignorar.

Há ocasiões em que Deus abomina nossa adoração, e existem igrejas que ele simplesmente quer ver fechadas. Muitas vezes, presumimos que basta expressar algum tipo de adoração e, então, Deus ficará satisfeito. A Bíblia diz que não é bem assim (Am 5.21-24; Is 58.1-5; Ml 1.6-14; 1Co 11.17-30; Ap 2.5; 3.15-16).

Desde o início dos tempos, há certos tipos de adoração que Deus ama e outros que ele rejeita. Ao observar a condição da igreja cristã hoje, não posso deixar de pensar que Deus está descontente com muitas igrejas.

Não estou dizendo isso por dizer ou motivado por algum sentimento pessoal, mas porque é o que leio nas Escrituras. Minha esperança é que você tenha uma Bíblia por perto enquanto lê este livro, para verificar se estou distorcendo a Palavra ou apenas apresentando o óbvio. A intenção não é atacar ninguém nem causar polêmica. Penso que integramos o mesmo time, todos em busca do tipo de igreja que mais agrada a Deus.

Uma humilde advertência

Atualmente, as pessoas estão ávidas por confronto. Muitas vivem em estado de vigilância, esperando pela oportunidade de atacar qualquer um que porventura se expresse mal. E é justamente a esse tipo de contexto que o Senhor se refere quando diz que devemos nos manter unidos (Ef 4.3). Busco escrever segundo um espírito de unidade. Embora parte do que digo aqui possa soar recriminatória, de fato estou tentando me expressar em graça e unidade. Uma das piores coisas que pode acontecer, porém, é alguém usar estas minhas palavras para confrontar com soberba a liderança de sua congregação. Já existe bastante divisão e arrogância na igreja. Creio que é possível preservar nossas convicções e, ao mesmo tempo, manifestar graça e bondade.

Quem não exerce função de líder eclesiástico deve ter em mente que é difícil liderar nos dias de hoje. Venho atuando em posição de liderança há mais de trinta anos e nunca vi tempos como estes.

As redes sociais dão voz a todo mundo, então todos querem se fazer ouvir. As vozes são muitas, os discípulos não. As opiniões ferrenhas são ovacionadas, a humildade não. Não estou afirmando que os líderes não precisam rever sua postura; estou apenas clamando por graça. Imagine como seria difícil conduzir um time em que cada jogador, crendo-se mais sensato que o técnico, se recusasse a se submeter à liderança. Imaginou? Bem-vindo à igreja do século 21! É hora de praticar a humildade.

O jovem Davi nos revela uma mentalidade bastante apropriada. Você se lembra de quantas vezes ele se recusou a fazer mal a Saul? No contexto de 1Samuel 24 e 26, Davi já havia sido ungido rei de Israel, e, à época, Saul se mostrava um lunático assassino e presunçoso. Davi teve duas oportunidades perfeitas para destituir Saul e assumir o trono que lhe tinha sido prometido; ainda assim, não quis resolver as coisas ao seu próprio modo: "Que o SENHOR me livre de fazer tal coisa a meu senhor, o ungido do Senhor, e atacar aquele que o Senhor ungiu como rei" (1Sm 24.6).

E por que essa atitude pareceu tão estranha? Saul era um governante terrível que consistentemente se voltava contra Deus. Mas, de algum modo, Davi tinha um santo pavor de prejudicar aqueles a quem Deus conferira autoridade. Hoje, se um líder comete um erro, ainda que irrisório ou acidental, somos rápidos em criticá-lo. Muito raramente perdoamos ministros do evangelho. Com insolência, usamos palavras rudes para esbravejar contra quem ocupa posição de liderança. Não estou me colocando a favor de líderes abusivos, nem estou dizendo que todo líder tem a bênção do Senhor. Só estou pedindo que mostremos um pouco de humildade e respeito, mesmo para com aqueles que não os merecem. Que sejamos conhecidos por manifestar graça.

Apenas abra a porta

Deus pretendeu que a igreja fosse muito mais que isso que experimentamos hoje. Muitos de nós acreditamos nessa verdade e queremos mudanças. A boa notícia é que Deus anseia por elas muito mais que nós. E não apenas isso — ele as ordena! Podemos avançar com confiança, sabendo que o Senhor não nos chama a nada para o que já não nos tenha habilitado.

> Eu corrijo e disciplino aqueles que amo. Por isso, seja zeloso e arrependa-se. Preste atenção! Estou à porta e bato. Se você ouvir minha voz e abrir a porta, entrarei e, juntos, faremos uma refeição, como amigos. O vitorioso se sentará comigo em meu trono, assim como eu fui vitorioso e me sentei com meu Pai em seu trono.
>
> Apocalipse 3.19-21

Depois de repreender severamente os cristãos em Laodiceia por sua mornidão, Jesus simplesmente lhes pediu que abrissem a porta. Antes de se deixar abater por tudo o que há de errado com a igreja, lembre-se de que o Senhor não lhe dá um fardo que você não possa suportar. Jesus o convida a ser amigo dele e a participar daquilo que ele está fazendo. Devemos nos encher de fé e expectativa, relembrando o que ele fez no mar Vermelho e no túmulo vazio ao terceiro dia. Respire fundo. Lance todo o cansaço aos pés de Jesus. Conte a ele como você se sente confuso ao notar que a igreja em que congrega é tão diferente daquela descrita na Bíblia. Relate sua insatisfação com a falta de poder em sua vida.

O tempo não dá trégua

> Portanto, sejam cuidadosos em seu modo de vida. Não vivam como insensatos, mas como sábios. Aproveitem ao máximo todas as oportunidades nestes dias maus. Não ajam de forma impensada, mas procurem entender a vontade do Senhor.
>
> Efésios 5.15-17

Tornei-me avô recentemente. É esquisito escrever uma frase dessas. Quanto mais idade tenho, mais me conscientizo de que o fim se aproxima. Não tenho tempo para buscar as coisas que quero ver acontecer na igreja. Não tenho tempo para me preocupar com o que as outras pessoas querem ver na igreja. Logo estarei diante do Senhor, por isso preciso me manter focado naquilo que *ele* quer. Em geral, quando dou uma palestra, diante do palco há um relógio indicando por quanto tempo ainda posso falar. Às vezes, finjo que há um relógio indicando quanto tempo de vida ainda tenho. Então, penso que verei Deus face a face quando a contagem regressiva terminar. Isso me encoraja a dizer tudo o que acredito que o Senhor quer que eu diga. Se eu de fato estivesse à beira da morte, pouco me importaria com as reclamações dos outros. Eu estaria obcecado por ver a face de Deus e ser aprovado por ele.

Isso vale para este livro. Se eu soubesse que morreria assim que o terminasse, o que escreveria? Se eu não me preocupasse com as reações ao que comunico aqui, mas me concentrasse apenas em ser fiel a Deus, o que registraria nestas páginas? Foi sob essa perspectiva que redigi este texto.

2
O sagrado

Na primeira vez que li que Uzá foi morto por Deus pelo simples fato de ter tocado a arca da aliança para que ela não fosse ao chão, eu me senti bastante incomodado. Uzá se prontificou a segurar a arca porque os bois que a carregavam tropeçaram. Parecia apenas um equívoco motivado por boas intenções. Sim, Deus proibira terminantemente que alguém tocasse a arca, mas o que Uzá deveria ter feito então? Deixado a arca cair?

Não é meio intrigante saber que o sacrifício oferecido pelo rei Saul lhe custou o próprio reinado (1Sm 13)? Afinal, Saul havia passado sete dias esperando que Samuel apresentasse as ofertas, e o profeta não chegou no prazo combinado. Parece-me nobre a iniciativa de Saul, isto é, oferecer o sacrifício para evitar ir à guerra sem antes apresentar-se diante de Deus. E, ainda assim, ele acabou perdendo o trono?

E o que dizer de Moisés, que não chegou à terra prometida só porque, em vez de falar à rocha, bateu nela com a vara (Nm 20)? Depois de tudo o que ele havia passado, será que era um crime assim tão grave decepcionar-se com o povo e extravasar a própria ira batendo em uma rocha?

Há também o caso de Ananias e Safira. Ambos foram fulminados ao mentir sobre a quantia de dinheiro que ofertaram à igreja (At 5). E olha que isso é relatado no Novo Testamento! De verdade, será que não foi demais?

Para arrematar, lembremos que Paulo disse aos coríntios que muitos deles estavam doentes e alguns até haviam morrido por celebrar a ceia de maneira inapropriada (1Co 11.30). Se Paulo não estava exagerando, talvez estejamos muito perto de morrer!

Para nós, muitas das punições relatadas na Bíblia foram severas demais se considerados os delitos a elas associados. E por que pensamos assim?

Não compreendemos o que significa dizer que algo é "sagrado". Vivemos em uma realidade centrada no ser humano; as pessoas se veem como autoridade máxima. Somos rápidos em dizer: "Não é justo!" quando não podemos desfrutar os direitos que julgamos ter pelo fato de sermos humanos. Porém, desconsideramos os direitos que Deus tem pelo fato de ser Deus. Até mesmo na igreja, nós nos comportamos como se as ações divinas estivessem submetidas à nossa conveniência. As histórias registradas na Bíblia se propõem nos mostrar que há algo muito mais valioso que nossa mera existência ou nossos direitos. Há coisas que dizem respeito a Deus, coisas sagradas — a arca da aliança, a ordem divina a Moisés, os sacrifícios no templo, o Espírito Santo, a ceia do Senhor, a santa igreja de Cristo. Todos aqueles que avançaram inadvertidamente em direção a essas coisas pagaram o preço por isso. Não deveríamos nos admirar, mas, sim, nos humilhar. Todos já fizemos coisas muito mais ultrajantes que essas; portanto, sejamos gratos a Deus por sua misericórdia e mais reverentes ao lidar com o sagrado.

O avanço irrefletido na direção do sagrado

Vivemos em um mundo onde as pessoas se lançam descuidadamente em direção às coisas. Quem não age assim fica para trás e perde o bonde. Desse modo, frenéticos, seguimos os padrões do mundo e ignoramos o chamado de Deus para uma postura diferente. Buscar ser mais produtivo não é pecado; porém, quando se trata do que é sagrado, Deus nos orienta a agir com cautela. Há quem se comporte levianamente com aquilo que é santo, mas essa conduta não convém a nós. Enquanto essas pessoas se mostram rápidas para julgar os atos do Senhor e questionar seus mandamentos, nós devemos ser cuidadosos até mesmo ao pronunciar o nome dele. Não saímos por aí inquirindo o que Deus faz ou deixa de fazer. Em vez disso, oramos: "Santificado seja o teu nome" (Mt 6.9; Lc 11.2). Enquanto os outros se lançam em preces repletas de demandas e argumentos, nós cautelosamente nos aproximamos do trono do Senhor com reverência. Assim como o sumo sacerdote no lugar santíssimo, nós tratamos a oração como espaço sagrado.

> Quando você entrar na casa de Deus, tome cuidado com o que faz e ouça com atenção. Age mal quem apresenta ofertas a Deus sem pensar. Não se precipite em fazer promessas nem em apresentar suas questões a Deus. Afinal, Deus está nos céus, e você, na terra; portanto, fale pouco. Do excesso de trabalho vem o sonho agitado; do excesso de palavras vêm as promessas do tolo.
>
> Eclesiastes 5.1-3.

Não sei se você já notou, mas os jovens de hoje falam mais rápido e usam mais abreviações, como se tentassem encaixar o maior número possível de palavras em um intervalo de dez segundos. O mundo fala ligeiro e alto. Somos tentados a aumentar a velocidade e o som do nosso discurso a fim de que nossa voz não se perca entre as demais. Mas é preciso resistir a essa tentação. A Bíblia é clara: quem muito fala, muito peca.

Nunca devemos admitir o pecado como o custo de se alcançar maior influência. "Entendam isto, meus amados irmãos: estejam todos prontos para ouvir, mas não se apressem em falar nem em se irar" (Tg 1.19). "Quem fala demais acaba pecando; quem é prudente fica de boca fechada" (Pv 10.19).

Relutei em escrever este livro porque o tema de que trato aqui é sagrado. Nem sempre tratei a igreja como algo santo. Passei anos me dedicando ao que fosse "possível" para obter a atenção das pessoas. Com minha avidez por falar e minha certeza acerca do que penso, eu me juntei a milhões de norte-americanos. Apenas recentemente dediquei tempo a me derramar na presença de Deus confessando minha arrogância.

Uma parte de mim deseja parar de falar sobre as coisas sagradas de Deus. Não foram poucas as vezes que quis desistir de escrever estas páginas, e seriamente pensei em deletá-las em vez de publicá-las. Parecia mais seguro ficar calado. Assim, eu não somente me protegeria de possíveis críticas, como também me resguardaria de falar de Deus inadequadamente. Mas esse tipo de pensamento se baseia na crença de que o silêncio nunca é pecaminoso. Longe de buscar me igualar a um profeta do Antigo Testamento, devo dizer que, quando penso nas coisas que o Senhor colocou em meu coração, eu me solidarizo com Jeremias em seu dilema. Deus ordenou a Jeremias que transmitisse palavras duras ao povo de Israel, e o profeta desejou calar-se. Mas não conseguiu.

> Pois, sempre que abro a boca, é para gritar: "Violência e destruição!". Essas mensagens do Senhor me transformaram em alvo constante de piadas. Mas, se digo que nunca mais mencionarei o Senhor, nem falarei em seu nome, sua palavra arde como fogo

em meu coração; é como fogo em meus ossos. Estou cansado de tentar contê-la; é impossível!

Jeremias 20.8-9

Portanto, procedo com reverente cautela, pois falar da igreja de Deus como algo sagrado requer zelo e humildade. Aqui está meu melhor esforço nesse sentido.

O mistério sagrado

Não há maior honra nesta terra que ser parte da igreja de Deus.

Quando foi a última vez que você se viu boquiaberto ao reconhecer-se como parte do corpo de Cristo? Já se sentiu maravilhado por desfrutar desse privilégio?

O apóstolo Paulo escreveu: "Ninguém odeia o próprio corpo, mas o alimenta e cuida dele, como Cristo cuida da igreja. E nós somos membros de seu corpo" (Ef 5.29-30). Todo crente precisa mirar essa passagem por tempo suficiente até que se encha de assombro. Sim, eu quis dizer "assombro". Paulo se refere a isso como um profundo mistério. Se você é movido por conquistas, não saberá o que é mistério. É provável que avance até a próxima frase a fim de terminar logo esta leitura, em vez de meditar no milagre que é o fato de você, um ser humano, estar exatamente agora unido a um Deus que "habita em luz tão resplandecente que nenhum ser humano pode se aproximar dele" (1Tm 6.16). "Esse é um grande mistério, mas ilustra a união entre Cristo e a igreja" (Ef 5.32). Demore-se o bastante para se deixar maravilhar.

Estamos cerca de 150 milhões de quilômetros distantes do sol[1] e, ainda assim, não podemos olhar diretamente para ele. Obviamente, não se pode tocá-lo e permanecer vivo. Então, como explicar o fato de estarmos unidos àquele que brilha mais que o sol? Os serafins usam duas de suas asas para cobrir o rosto quando estão na presença dele (Is 6.2), e no entanto você é um membro do corpo do Senhor! Por que alguém tão extraordinário trataria você como parte dele mesmo?

Por favor, não vá me dizer que não interrompeu a leitura. Diga que parou ao menos por um minuto para glorificar a Deus. Não é possível que você esteja tão ocupado a ponto de se privar disso. De fato, não surpreende que não sejamos conhecidos como aqueles que "se regozijam com alegria inexprimível e gloriosa" (1Pe 1.8). Afinal, nós não dedicamos tempo a meditar nos mistérios do Senhor.

Um pedacinho do templo

Uma das minhas cenas preferidas na Bíblia é a da consagração do templo, descrita em 2Crônicas 7. Eu adoraria tê-la acompanhado pessoalmente. Imagine só viver uma experiência deste tipo:

> Quando Salomão terminou de orar, desceu fogo do céu e queimou os holocaustos e os sacrifícios, e a presença gloriosa do Senhor encheu o templo. Os sacerdotes não podiam entrar no templo do Senhor, pois a presença gloriosa do Senhor havia enchido o templo. Quando todos os israelitas viram o fogo descer e a presença gloriosa do Senhor encher o templo, prostraram-se com o rosto no chão, adoraram e louvaram o Senhor, dizendo: "Ele é bom! Seu amor dura para sempre!".
>
> 2Crônicas 7.1-3

Consegue ter alguma noção do que é testemunhar fogo descendo do céu? Faz ideia do que é a glória de Deus? Imagino meu coração batendo acelerado. Vejo-me lutando para ao menos respirar e evitar perder os sentidos. E penso no êxtase que seria adorar com outros irmãos em meio a tanto poder! O templo era o lugar onde céu e terra se encontravam, onde homens e mulheres presenciavam um lampejo da glória divina.

O Novo Testamento descreve algo ainda maior. Meu anseio por viver aquela experiência relatada no Antigo Testamento indica que não aprecio a nova realidade como deveria.

> Portanto, vocês já não são estranhos e forasteiros, mas concidadãos do povo santo e membros da família de Deus. Juntos, somos sua casa, edificados sobre os alicerces dos apóstolos e dos profetas. E a pedra angular é o próprio Cristo Jesus. Nele somos firmemente unidos, constituindo um templo santo para o Senhor. Por meio dele, vocês também estão sendo edificados como parte dessa habitação, onde Deus vive por seu Espírito.
>
> Efésios 2.19-22

Eu faria qualquer coisa para estar do lado de fora do templo e ver a glória de Deus descer. Mas, quando desejo isso, esqueço-me de algo muito melhor: sou literalmente parte do próprio templo! De algum modo, o sangue de Jesus me habilitou e me uniu a outros crentes para que, com eles, eu constituísse a habitação de Deus! Pedro nos chamou de "pedras vivas" (1Pe 2.5). Você é uma rocha que compõe o edifício em cuja fundação estão os apóstolos e os profetas e o qual tem Jesus como pedra angular (Ef 2.20)! Ao propor esse conceito, Paulo usou o plural "vocês" e o singular "templo". Juntos e unidos, formamos a casa de Deus. Sabe-se lá como, sou um tijolo em um templo que transcende tempo e espaço. E, justamente por sermos templo, Deus habita entre nós! Você deveria pular de alegria ao ler isto!

Não tente resolver o mistério; apenas contemple-o.

Quando Paulo o explicou aos coríntios, incluiu uma advertência aterrorizante: "Vocês não entendem que são o templo de Deus e que o Espírito de Deus habita em vocês? Deus destruirá quem destruir seu templo. Pois o templo de Deus é santo, e vocês são esse templo" (1Co 3.16-17).

Retorne à cena de 2Crônicas 7. Ao presenciar o fogo descendo e a glória de Deus enchendo o templo, você ousaria pegar uma marreta e pôr o edifício abaixo? Claro que não! Então, por que somos tão dispostos a fazer fofoca, a disseminar boatos sobre os líderes e a dividir a igreja?

Aquele que destruir o templo de Deus será destruído por Deus.

Qual é a razão de Deus se mostrar tão severo quanto a isso? Paulo explica que o templo do Senhor é sagrado e que nós, em coletividade, somos esse templo. Toda vez que você fala mal de um membro da igreja, é como se estivesse golpeando o templo com uma marreta. Tem certeza de que quer continuar fazendo isso?

Sejamos cuidadosos com nossas palavras e atitudes, pois estamos lidando com algo sagrado. Fiquemos onde Deus está, e nesse lugar estaremos protegidos. Possivelmente foi isso o que motivou Paulo a afirmar: "Se alguém tem causado divisões entre vocês, advirta-o uma primeira e uma segunda vez. Depois disso, não se relacione mais com ele" (Tt 3.10). Não devemos promover divisões. Esse é um pecado que Deus abomina, pois o templo do Senhor é absolutamente sagrado.

Vivemos em uma cultura na qual nos acostumamos a opinar sobre tudo. A *pizza* que comemos, o motorista de aplicativo que nos transporta, o filme a que assistimos, a foto do amigo na rede social — tudo nos impulsiona à crítica e à comparação. Assim, na igreja, em vez de nos alegrarmos pelo incrível mistério que é fazer parte do corpo de Deus, reclamamos da liderança, da música, da liturgia e de tudo o mais que pudermos criticar. Apontamos as falhas no sermão do pastor com a mesma veemência que usamos para criticar a atuação de um artista de cinema ou o mau desempenho do nosso time de futebol. Isso não é o mesmo que usar uma marreta para levar o templo abaixo?

Lembre-se de que o templo era a habitação terrena que Deus havia providenciado para si. Agora, a igreja é esse lugar. Somos esse templo. Pense comigo: o contexto de 2Crônicas 7 — em que o templo foi consagrado — não foi o único em que fogo caiu do céu e encheu o templo. Isso também aconteceu na ocasião descrita em Atos 2, quando a igreja foi estabelecida. Enquanto os discípulos oravam unidos, línguas de fogo caíram sobre eles. Eles eram o templo. Fogo do céu lhes sobreveio. Você conhece o final da história.

Um pedacinho do céu

Você é parte de algo sagrado, muito maior que sua própria vida. Pelo sacrifício de Jesus, você foi unido à igreja dele. Portanto, você não apenas compõe o templo sagrado de Deus, como também constitui a comunidade celestial. Isso é formidável!

Dedique algum tempo à leitura dos capítulos 4 e 5 de Apocalipse, que descrevem o céu. Essa passagem começa com uma representação majestosa de Deus sentado em seu trono. A cena é intensa e cheia de detalhes: os quatro seres vivos declaram a santidade do Senhor, os sete espíritos de Deus resplandecem em glória, miríades de anjos louvam a Jesus em voz alta, e os vinte e quatro anciãos se prostram e depositam suas coroas diante dele.

Então, no versículo 8 do capítulo 5, finalmente somos mencionados:

> Quando o Cordeiro recebeu o livro, os quatro seres vivos e os 24 anciãos se prostraram diante dele. Cada um tinha uma harpa e taças de ouro cheias de incenso, que são as orações do povo santo.
>
> Apocalipse 5.8

Eis ali você! Conseguiu ver? Aquelas são as suas orações em taças de incenso! Não é maravilhoso? Somos parte dessa cena incrível!

Talvez você se sinta um pouco insultado diante do que acabei de dizer. Você pode estar pensando: "Então é assim? Minha participação nisso tudo se restringe a orações amontoadas em meio às preces de todos os outros crentes, formando taças de incenso?". Não se preocupe — você também é citado no versículo 13 do mesmo capítulo, quando sua voz se junta ao coro de bilhões de outras:

> Depois, ouvi todas as criaturas no céu, na terra, debaixo da terra e no mar, cantarem: "Louvor e honra, glória e poder pertencem àquele que está sentado no trono e ao Cordeiro para todo o sempre!".
>
> Apocalipse 5.13

O que é, de fato, uma honra magnífica e indescritível pode parecer insuficiente para aqueles que se acostumaram com o papel de divindade em seus *blogs* e perfis no Twitter. Trata-se de algo insignificante para aqueles que, com belos autorretratos, ergueram seu próprio templo no Facebook e no Instagram.

Este é o perigo de clamar por atenção: não percebemos que a verdadeira alegria vem justamente do oposto. A alegria vem à medida que nos misturamos àqueles a quem Jesus redimiu e nos perdemos no mar de louvor e adoração, participando plenamente dessa santa realidade.

Ser parte legítima da igreja implica ser levado a solo sagrado. Você vem e adora um Outro, com outro alguém. Você derrama seu amor a Deus servindo àqueles que estão ali com você, considerando-os mais importantes. Você não é o centro das atenções — e isso é motivo de alegria, pois esse posto é ocupado por Alguém muito maior. Essa realidade é sagrada.

Um pedacinho de um plano eterno

Já parou para considerar o fato de que você é parte de um plano eterno? Pense seriamente sobre isso. Sua existência não começou na concepção. Você começou na mente de Deus, antes da fundação do mundo. Reflita nisso. Poucas coisas farão você se sentir tão pequeno... ou tão grande.

> Mesmo antes de criar o mundo, Deus nos amou e nos escolheu em Cristo para sermos santos e sem culpa diante dele. Ele nos predestinou para si, para nos adotar como filhos por meio de Jesus Cristo, conforme o bom propósito de sua vontade.
>
> Efésios 1.4-5

Longe de sermos meros acidentes históricos, você e eu somos parte de um plano brilhante iniciado antes mesmo de este mundo existir e que continuará para além dele. É por isso que a autodepreciação é tão perniciosa quanto a difamação da igreja de Deus. Quando as praticamos, estamos apequenando a criação de algo que Deus planejou e preparou. Ele nos escolheu antes da fundação do mundo, nos conheceu antes mesmo de sermos formados (Jr 1.5) e de antemão nos incumbiu de realizar boas obras (Ef 2.10). Deus tinha planos para sua sagrada igreja, e estamos incluídos neles. Refletir sobre isso deveria trazer imensa paz à nossa alma sempre tão atribulada. Quanto mais penso nessa realidade, mais me sinto honrado por ter sido escolhido como parte do eterno plano divino para a igreja.

Se você ainda não se sente fascinado por participar da igreja do Senhor, uma dica é considerar que há seres celestiais que a admiram totalmente maravilhados.

> Ainda que eu seja o menos digno de todo o povo santo, recebi, pela graça, o privilégio de falar aos gentios sobre os tesouros infindáveis que estão disponíveis a eles em Cristo e de explicar a todos esse segredo que Deus, o Criador de todas as coisas, manteve oculto desde o princípio. O plano de Deus era mostrar a todos os governantes e autoridades nos domínios celestiais, por meio da igreja, as muitas formas da sabedoria divina.
>
> Efésios 3.8-10

Pense no que está sendo dito aqui. Deus desejou mostrar sua incomparável sabedoria aos seres celestiais e, então, criou a igreja! Creio que temos a sagrada responsabilidade de agir como igreja dele de modo a causar admiração entre as autoridades que habitam os céus. Elas precisam ver em nós uma unidade que demonstre o brilhante plano divino.

Apenas dois versículos antes, Paulo explicou que o grande mistério de Deus agora revelado é que, em razão do que Jesus fez na cruz, os gentios têm se tornado membros do mesmo corpo do qual os judeus são parte. Esse é o mistério divino oculto por tanto tempo! A grande revelação aguardada pelos governantes celestiais enfim se concretizou. A cortina foi erguida, e eles perderam o fôlego ao contemplar a igreja. Não pode ser! Isso é demais! Mediante a cruz, povos de todas as línguas e nações se tornaram membros de um mesmo corpo? Que coisa assombrosa! O próprio Deus está reunindo sua criação e fazendo dela parte de quem ele é? Inacreditável! Durante todo esse tempo, era isso o que ele planejava. Chegaria o dia em que o Deus todo-poderoso habitaria entre pessoas de todas as raças. Elas seriam conduzidas à plena unidade, formando um só templo, a habitação do Senhor!

Percebe por que estar ciente disso é tão importante? Hoje, muitos veem a igreja como algo facultativo, um meio ultrapassado de se conectar a Deus, um recurso que há muito perdeu sua utilidade. Eles preferem aproximar-se do Senhor por conta própria, à própria maneira, sem todas aquelas pessoas "esquisitas" que tornam tudo mais difícil. Podemos até compreender parte desses sentimentos acerca da igreja. Mas, quando a vemos do ponto de vista de Deus, quando a apreciamos segundo a perspectiva do plano divino, ficamos maravilhados. Quem, além do Senhor, poderia conceber um plano tão belo e criativo?

Não consigo deixar de notar nossa enorme falha em não ver a beleza dos desígnios de Deus para a igreja. As criaturas celestes observam a igreja extasiadas, enquanto muitos seres humanos apenas bocejam. A igreja primitiva não precisou de música empolgante, vídeos bem feitos, líderes carismáticos e iluminação especial para celebrar o fato de ser parte do corpo de Cristo. O evangelho puro foi suficiente para levá-la à admiração reverente.

Você não se sente nem um pouco constrangido por precisar de recursos extras? Bem, não é culpa sua. Por décadas, líderes eclesiásticos como eu perdemos de vista o poderoso mistério inerente à igreja e, então, corremos em busca de outros métodos na tentativa de atrair a atenção das pessoas. Sendo bem sincero, nós incitamos você a se viciar nessas coisas menores. Nós banalizamos o sagrado, e devemos nos arrepender disso.

3
A ordem

Suponha que você vá a um restaurante e peça um bife. Vinte minutos depois, o garçom coloca um prato de espaguete à sua frente e comenta que aquela é a melhor macarronada que você poderia provar. Você ficaria satisfeito? Não, você devolveria o prato porque não era o que queria. Não tinha nada a ver com seu pedido.

Penso que é isso o que temos feito com a igreja. Deus nos apresentou seu "pedido" por meio dos mandamentos descritos na Bíblia, dizendo-nos o que queria. Em nossa arrogância, porém, criamos algo que julgamos funcionar melhor. Em vez de estudar diligentemente as ordenanças do Senhor e entregar-lhe exatamente o que ele pediu, temos nos deixado influenciar por muitas outras coisas. Consideramos nossos gostos pessoais, os interesses de outras pessoas, o que outros estão fazendo. No espírito de Caim, ofertamos algo que imaginamos ser aceitável a Deus, em vez de entregar a ele o que de fato nos pediu.

Mandamentos *versus* expectativas

Há um exercício simples que costumo propor a líderes de igreja. Primeiro, eu os oriento a listar tudo aquilo que as pessoas esperam de sua congregação. Em geral, eles listam coisas bem óbvias: um culto excelente; ministros bem preparados para lidar com as diferentes faixas etárias; um período de louvor em que se combinem adequadamente o estilo, o volume e a duração das canções; um sermão bem comunicado; recursos como estacionamento, templo limpo, café, cuidado infantil etc. Feito isso, peço que listem os mandamentos de Deus à igreja descritos na Bíblia. Geralmente, são mencionadas ordenanças do tipo "amem uns aos outros como eu amo vocês" (Jo 15.12); "[cuidem] dos órfãos e das viúvas em suas dificuldades" (Tg 1.27); "façam discípulos de todas as nações" (Mt 28.19); "ajudem a levar os fardos uns dos outros" (Gl 6.2) etc. Por fim, solicito aos líderes que indiquem o que mais aborreceria as pessoas: a congregação não dispor dos itens da primeira lista ou a desobediência aos mandamentos registrados na segunda lista.

Em Lucas 12, Jesus apresenta a parábola do mestre que atribuiu tarefas específicas a seus servos. Mais tarde, voltando aos servos, esse mestre esperava ver as tarefas realizadas. Ao notar que suas ordens haviam sido negligenciadas, ele puniu duramente os empregados. Como podemos dar de ombros a um relato desses? É insano! Jesus logo virá e espera que sua igreja leve seus mandamentos a sério. Com muita frequência, porém, estamos bem mais preocupados com a qualidade do sermão, com a relevância do grupo de jovens ou com meios de aprimorar a música na igreja. Honestamente, o que é que incitará os irmãos de sua igreja à real mudança? Será que o problema é a desobediência aos mandamentos divinos? Ou será o não atendimento das expectativas que nós mesmos criamos? A resposta a essas perguntas pode nos mostrar se nossa congregação existe para agradar a Deus ou às pessoas, isto é, se é Deus quem conduz a igreja ou se somos nós que o fazemos.

Jesus estava à mesa com seus discípulos, em Marcos 7, quando alguns fariseus os criticaram por não terem lavado as mãos antes da refeição. Essa era uma rígida tradição observada por todos os judeus (v. 3). Eles viram no comportamento dos discípulos uma grave ofensa, como se Deus de fato ficasse muito contrariado se alguém deixasse de se lavar. Entretanto, o problema era este: Deus nunca mandou que as pessoas lavassem as mãos antes das refeições. Não há motivo nenhum para acreditar que ele se importa tanto com isso, sobretudo quando comparamos essas tradições com tudo o que ele ordenou.

Jesus respondeu aos fariseus chamando-os de hipócritas e alegando que eles ensinavam "doutrinas humanas como se fossem mandamentos de Deus", desprezavam a lei divina e a substituíam "por sua própria tradição". Terminou acusando-os de se esquivarem habilmente "da lei de Deus para se apegar à sua própria tradição" (v. 7-9). Jesus estava mesmo aborrecido com isso!

No Antigo Testamento, Deus havia dado ordens bem claras (613, para ser bem exato) e esperava que o povo lhe obedecesse. Então, ao longo do tempo, essas pessoas criaram tradições adicionais, coisas que Deus jamais pediu que fizessem, mas que elas julgaram ser boas ideias. Lavar as mãos e os pratos antes das refeições é um exemplo disso. Não havia problema nenhum em fazer essas tarefas. Aliás, era uma ótima ideia. Não foi esse o motivo pelo qual Jesus chamou os fariseus de hipócritas. Ele os reprovou duramente por terem criado regras próprias (coisas sem nenhuma importância) e por as terem valorizado mais que aos mandamentos de Deus (estes, sim, extremamente importantes).

O apego por honrar as tradições fez que os fariseus acreditassem que estivessem obedecendo a Deus, quando de fato não o estavam. Se não tomarmos cuidado, seremos culpados do mesmo pecado e igualmente desagradaremos a Deus.

Muitos de nós nos acostumamos tanto às tradições a ponto de acreditar piamente que elas são mandamentos. Já vi gente furiosa com a ausência de alunos na escola dominical e, ao mesmo tempo, indiferente com a ausência deles na ceia do Senhor. Alguns criticam o estilo do louvor e pouco se importam com a negligência às necessidades das viúvas e dos órfãos. Pode ser que alguns leitores se surpreendam com o fato de não haver mandamento relativo a sermões de quarenta minutos mas existir esta ordenança: "Ajudem a levar os fardos uns dos outros e obedeçam, desse modo, à lei de Cristo" (Gl 6.2). Eu poderia me estender aqui falando sobre como tem crentes que se queixam de vestimentas, grupos de jovens e horários de cultos mas que há meses (ou mesmo anos) não compartilham sua fé e, assim, deixam de fazer discípulos entre os bilhões de pessoas que não têm ideia de quem é Jesus!

É imperativo que saibamos a diferença entre o que queremos e o que Deus ordena. Não que todos os nossos anseios sejam ruins, mas eles devem estar em segundo plano em relação ao que Deus prioriza.

O que funciona

Por trinta anos estive envolvido com liderança de igreja. Passei muito tempo me perguntando: "O que dá certo?", isto é, "O que faz as pessoas frequentarem os cultos?". Essa não é uma preocupação ruim em si. O que quero dizer é que minha intenção era ver as pessoas interessadas em Cristo, e eu desejava vê-las mudar de vida. Contudo, em meu zelo por resultado, negligenciei alguns mandamentos divinos. Paulo não agiu assim. Ao ler Romanos 9.1-3, você verá que o apóstolo era muito mais zeloso que nós quando o assunto era a salvação das pessoas. Todavia, ao buscá-las, ele cuidou de resguardar o que sabia ser sagrado.

Paulo foi cauteloso, abstendo-se de usar mera retórica humana e certificando-se de privilegiar o poder do Espírito. Eu me ocupei em fazer o que quer que funcionasse. Aprendi a manter um auditório lotado e a oferecer às pessoas o que elas queriam receber.

Paulo esteve acima dessas questões. Os coríntios desejavam que o apóstolo pregasse com eloquência, como faziam os hábeis oradores tão admirados por eles, mas Paulo refutou essa ideia (1Co 1.17). Eles queriam um pregador que lhes oferecesse o melhor da sabedoria humana, mas Paulo lhes deu o oposto. Na verdade, ele foi comedido em suas palavras, pois não desejava diminuir o poder da cruz. Ele almejava que a fé daqueles irmãos se firmasse no poder do Espírito (1Co 2.1-5). Os coríntios buscavam uma celebridade cristã a quem pudessem enaltecer (2Co 11), mas Paulo se recusou a assumir esse papel. Em vez de atender às demandas daquelas pessoas, ele lhes deu o que precisavam e o que era melhor para elas.

> Pois Cristo não me enviou para batizar, mas para anunciar as boas-novas, e não com palavras de sabedoria humana, para que a cruz de Cristo não perca seu poder.
>
> 1Coríntios 1.17

Irmãos, na primeira vez que estive com vocês, não usei palavras eloquentes nem sabedoria humana para lhes apresentar o plano secreto de Deus. Pois decidi que, enquanto estivesse com vocês, me esqueceria de tudo exceto de Jesus Cristo, aquele que foi crucificado. Fui até vocês em fraqueza, atemorizado e trêmulo. Minha mensagem e minha pregação foram muito simples. Em vez de usar argumentos persuasivos e astutos, me firmei no poder do

Espírito. Agi desse modo para que vocês não se apoiassem em sabedoria humana, mas no poder de Deus.

1Coríntios 2.1-5

Desde que me entendo por gente, sei que o índice de frequência à igreja tem decaído (quando comparado em termos percentuais ao crescimento da população geral).[1] Então, não me surpreendo ao ver pastores bem-intencionados tentando tornar a igreja mais popular. Mas esse é um velho esquema que nunca deu muito certo. Na Dinamarca do século 19, Søren Kierkegaard se mostrou horrorizado diante da condição da igreja estatal, que, segundo ele, se tornara apática e hipócrita. O filósofo acreditava que o verdadeiro cristianismo é custoso e requer humildade. Nossa autoestima é posta à prova pelo evangelho, o qual expõe nossas falhas e insiste que só podemos viver mediante a graça divina, visto que agora reconhecemos que a salvação só vem de Jesus. Mas o que Kierkegaard viu na igreja de seu país foram constantes tentativas de tornar o cristianismo mais palatável, mais popular e menos ofensivo. Ele comentou que, se for para excluir o caráter afrontoso do cristianismo e buscar tornar as coisas mais simples e divertidas para todos, melhor será "fechar as igrejas quanto antes, ou transformá-las em locais de entretenimento acessíveis o dia todo!".[2]

Isso parece valer ainda hoje?

Alan Hirsch assim comentou a construção de uma megaigreja na Austrália:

> Se você tiver que recorrer ao *marketing* e aos apelos do entretenimento para atrair as pessoas, então precisará mantê-las por perto usando sempre esse mesmo recurso, pois é por isso que elas terão

vindo. [...] Ganhe-as por meio do entretenimento e terá de entretê-las o tempo todo. E, por uma imensa diversidade de motivos, essa parece uma tarefa mais árdua a cada ano. Acabamos nos tornando nossos próprios algozes.[3]

Se concentrarmos atenção demasiada naquilo que as pessoas desejam, só veremos aumentar a quantidade de reclamações. Quanto mais tentamos atender aos anseios dessas pessoas, mais elas se queixarão quando não se virem satisfeitas. Hoje, há muita gente que se diz infeliz por causa da igreja, e muito disso se deve ao comportamento de líderes que, como eu, abordaram esse problema da maneira errada.

Imagine que são onze horas da noite e seu filho de 10 anos lhe pede um leite quente justificando que está cansado. Você precisa dizer a ele que vá dormir. Um bom sono é o que vai curar o tal cansaço. Não raro, temos oferecido às pessoas o que elas pedem em vez de dar-lhes o que precisam. Há ocasiões nas quais a atitude mais amorosa que podemos ter é ensinar a elas que a alegria só virá quando pararem de clamar por atenção e bradarem a voz diante do trono de Deus.

Tente imaginar-se na cena a seguir:

> Então olhei novamente e ouvi as vozes de milhares e milhões de anjos ao redor do trono, e também dos seres vivos e dos anciãos. Cantavam com forte voz: "Digno é o Cordeiro que foi sacrificado de receber poder e riqueza, sabedoria e força, honra, glória e louvor!". Depois, ouvi todas as criaturas no céu, na terra, debaixo da terra e no mar, cantarem: "Louvor e honra, glória e poder pertencem àquele que está sentado no trono e ao Cordeiro para todo o sempre!". E os quatro seres vivos disseram: "Amém!". E os 24 anciãos se prostraram e adoraram.
>
> Apocalipse 5.11-14

Você consegue se ver entediado em um cenário desses? Sente-se como se precisasse de algo mais? Imagina-se desejando que as pessoas sejam mais atenciosas com você? Que nada! Foi para essa cena que fomos criados! Não é nada benéfico levar as pessoas a acreditar que são o centro do universo. Ou elas serão impactadas pelo sagrado, ou nada mais as impactará. Se o sagrado não é suficiente, então está claro que não se deixaram mover pelo Espírito. Se as ovelhas não ouvem a voz do Senhor, deixe que se vão. Não as faça ficar apenas por causa do seu discurso.

Com bastante frequência, adicionamos nossa própria voz, acreditando que, se oferecermos os serviços certos ou se apresentarmos o evangelho na embalagem correta, convenceremos as pessoas a ficar. Receio dizer que, ao direcionar nossa adoração aos adoradores e não ao verdadeiro Objeto de louvor, acabamos criando igrejas cujo foco é o próprio ser humano.

Não digo isso com a intenção de condenar ninguém. Também tenho culpa no cartório. Quando olho em retrospectiva para a minha vida e para as vezes em que fui presa fácil dessa mentalidade consumista, não considero que minhas intenções tenham sido perversas, nem que meu amor por Cristo estivesse enfraquecido. Deus bem pode dizer o contrário no último dia, mas realmente creio que meu maior erro foi não ter refletido o bastante sobre minhas atitudes — ou não ter me aconselhado por tempo suficiente com a Pessoa certa. Fui pego pelo consumismo como qualquer outro, e dei muita atenção ao que eu e os outros queríamos.

Muitos de nós tomamos decisões com base naquilo que nos causará maior prazer. É assim que escolhemos nossa casa, nosso carro, nossas roupas, nossa comida e nossa igreja. Procuramos satisfazer nossos anseios e, então, nos certificamos de que eles não violam nenhum mandamento bíblico. Em essência, buscamos garantias de que Deus tolerará nossas escolhas em detrimento daquilo que ele deseja. Talvez tenhamos receio de perguntar-lhe o que trará maior prazer a ele. É mais fácil assumir-se como ignorante que como desobediente.

A boa notícia é que, pela graça de Deus, alguns de nós já conseguimos ver nossas falhas e estamos nos condicionando a priorizar os desejos do Senhor. Nosso ponto de partida agora são as Escrituras, e não mais os anseios pessoais ou as tradições. Já não pensamos no que gostaríamos de experimentar, nem perguntamos aos outros o que eles desejam. Agora, apenas perguntamos: "O que trará maior satisfação a Deus?".

Dedicados aos mandamentos divinos

A igreja primitiva teve como fundamento as coisas que mais agradavam a Deus. O que atraía as pessoas era o foco nas coisas corretas. Não se pode ler Atos sem chegar à seguinte conclusão: "Eis uma comunidade da qual eu gostaria de participar". O que aqueles irmãos faziam era único. Era um grupo envolvente de um jeito que nada mais conseguiria ser. Tratava-se de algo que o mundo nunca tinha visto.

> Todos se dedicavam de coração ao ensino dos apóstolos, à comunhão, ao partir do pão e à oração. Havia em todos eles um profundo temor, e os apóstolos realizavam muitos sinais e maravilhas. Os que criam se reuniam num só lugar e compartilhavam tudo que possuíam. Vendiam propriedades e bens e repartiam o dinheiro com os necessitados, adoravam juntos no templo diariamente, reuniam-se nos lares para comer e partiam o pão com grande alegria e generosidade, sempre louvando a Deus e

desfrutando a simpatia de todo o povo. E, a cada dia, o Senhor lhes acrescentava aqueles que iam sendo salvos.

Atos 2.42-47

Nesse relato, não há nenhuma menção a fazer surgir como mágica algum tipo de experiência arrebatadora. Os primeiros cristãos não buscavam estratégias para atrair o interesse das pessoas. Depois do retorno de Jesus ao Pai, eles passaram a se reunir para pedir a Deus que os guiasse e agisse por meio deles: "Todos se reuniam em oração com um só propósito..." (At 1.14). Foi durante uma dessas reuniões que o Espírito Santo desceu sobre eles, e, assim, a igreja foi inaugurada, conforme "todos se dedicavam de coração ao ensino dos apóstolos, à comunhão, ao partir do pão e à oração" (2.42).

Hoje, nenhuma mobilização pelo crescimento da igreja levaria essa abordagem a sério. Cadê a emoção? Sim, os elementos apresentados pelos primeiros cristãos são a base, mas você acredita mesmo que é possível alcançar alguma coisa contando apenas com o ensino dos apóstolos, a comunhão, o partir do pão e as orações? Afinal, não é sabido que muitos dos que se lançaram a essa estratégia tão modesta não chegaram nem perto do "assombro" experimentado pela igreja primitiva? De jeito nenhum. Há nessa passagem uma palavra-chave que distingue os esforços da igreja moderna da postura da primeira igreja: *dedicavam*.

Em nossa cultura tão impaciente, almejamos experimentar o assombro bíblico sem a devoção bíblica. O cerne de nossa disfunção não está necessariamente no estilo ou na estrutura que adotamos, mas em nossa falta de devoção. Atualmente, muito do que se discute acerca da igreja é sobre como obter o máximo de nossos cultos dominicais. Considerando que as pessoas estão dispostas a sacrificar noventa minutos de sua semana, será que devemos mesmo gastar tempo cantando, pregando e orando? Devemos nos reunir em um grande auditório ou em pequenos grupos? Questões como essas estão erradas. Deveríamos nos perguntar por que os cristãos estão dispostos a dedicar apenas noventa minutos semanais (quando muito!) à única coisa que realmente importa! O fato é que os líderes se empenham incansavelmente em espremer oração, ensino, comunhão e partir do pão em um culto de noventa minutos por acreditar que isso é tudo o que devem fazer.

Ainda que não possamos forçar as pessoas à devoção, é possível que tenhamos facilitado as coisas para que elas não se tornassem cristãos dedicados. Ao tentar manter todo mundo interessado e extasiado, criamos um substituto barato para a devoção.

Em vez de se ocupar com as mais diversas empreitadas, os primeiros cristãos se dedicaram a poucas coisas. E isso mudou o mundo. A igreja de hoje parece estar sempre à procura da próxima novidade. Convencidos de que estamos perdendo alguma coisa, buscamos seguir as últimas tendências relativas ao crescimento da igreja. Cremos que, se criarmos um novo cargo na equipe ou se adicionarmos algo à programação, nossa igreja se fortalecerá. Trata-se de um jogo sem fim. Será que já não fizemos isso por tempo demais?

O ensino dos apóstolos

Os crentes primitivos se dedicaram ao ensino dos apóstolos, ao qual está vinculado um poder milagroso que não se encontra em nenhum outro ensinamento (Ef 2.20; 2Tm 3.16-17). Durante toda a vida, a maioria dos cristãos ouve que "a palavra de Deus é viva e poderosa. É mais cortante que qualquer espada de dois gumes, penetrando entre a alma e o espírito, entre a junta e a medula, e trazendo à luz até os pensamentos e desejos mais íntimos" (Hb 4.12). Sim, é o que ouvimos. Mas será que acreditamos nisso?

Se de fato crêssemos que a Palavra de Deus tem esse poder, o que faríamos? Ora, nós a leríamos certos de que ela tem vida em si mesma. Não há dúvida de que não daríamos tanta importância à diversidade de pregadores hábeis em "tornar vivas" as Escrituras.

Pense nos filmes a que você já assistiu nos quais há uma bruxa reproduzindo um feitiço. Tudo precisa ser declamado na ordem exata, porque o poder deriva justamente das palavras pronunciadas. Claro que não estou comparando a Palavra de Deus a um livro de magia, mas se há algo que devemos fazer é tratar as Escrituras como algo sagrado e poderoso, nada menos que isso. "Somente o Espírito dá vida. A natureza humana não realiza coisa alguma. E as palavra que eu lhes disse são espírito e vida", disse Jesus (Jo 6.63).

Se um dia eu estivesse em um parque jogando basquete e o LeBron James aparecesse querendo jogar no meu time, eu buscaria todas as chances de passar a bola a ele. Então, eu ficaria na minha, apenas assistindo maravilhado à cena seguinte. O que aconteceria se dedicássemos mais tempo à leitura pública da Bíblia e encorajássemos as pessoas a fazer o mesmo? Desconfio que assistiríamos estupefatos à Palavra de Deus cumprindo aquilo para que foi escrita.

> A chuva e a neve descem dos céus e na terra permanecem até regá-la. Fazem brotar os cereais e produzem sementes para o agricultor e pão para os famintos. O mesmo acontece à minha

palavra: eu a envio, e ela sempre produz frutos. Ela fará o que desejo e prosperará aonde quer que eu a enviar.

Isaías 55.10-11

Com o passar do tempo, meus hábitos como pregador revelaram que acredito que as palavras de Deus estão mortas e que, por isso, preciso recorrer à minha criatividade para trazê-las à vida. Paulo orientou a Timóteo que se dedicasse à leitura pública das Escrituras (1Tm 4.13). É possível que, fazendo isso, levantemos uma nova geração apegada à Palavra de Deus e menos fanática por pregadores.

Durante algum tempo, um amigo meu reuniu um grupo de pessoas para a leitura pública da Bíblia. Eles leram em turnos, começando em Gênesis 1 e terminando, três dias depois, em Apocalipse 22. Eles leram toda a Bíblia em voz alta em um intervalo de 72 horas! Esse amigo tentou descrever o que sentiram quando as últimas palavras foram lidas. Em resumo, foi inexplicável. A Palavra teve um efeito que excedeu em muito as expectativas do grupo. Em apenas três dias, eles alcançaram o que a maioria dos que se professam cristãos em meu país jamais conseguiu em toda a vida.

O que aconteceria se eliminássemos todas as distrações e nos tornássemos pessoas dedicadas às Escrituras? Acredito firmemente que experimentaríamos um poder nunca visto antes.

Recentemente, em uma reunião em nossa igreja, lemos todo o Apocalipse em voz alta. Comecei lendo Apocalipse 1.3: "Feliz é aquele que lê as palavras desta profecia, e felizes são aqueles que ouvem sua mensagem e obedecem ao que ela diz, pois o tempo está próximo".

Não é patético descobrir que Deus promete abençoar todo aquele que lê o texto de Apocalipse em voz alta e, ainda assim, ninguém faz isso? Bem, meus irmãos e eu procedemos à leitura dos capítulos até atingir o fim do livro. Foi tremendo! A Palavra de Deus lida de maneira simples, sem rebuscamentos, levou-nos a uma adoração tão profunda e genuína que nada do que eu dissesse poderia sequer se comparar.

Todos já assistimos a vídeos em que moradores de países subdesenvolvidos lavam suas roupas em água suja. Embora isso seja melhor que não as lavar nunca, o fato é que não ficam realmente limpas. É o que imagino que pode acontecer com as minhas pregações. Certamente, apresentá-las é melhor que não oferecer pregação nenhuma, mas minhas palavras sempre se mostrarão sujas quando comparadas com a pureza das Escrituras. Só a Palavra de Deus se mantém imaculada neste mundo, e ela é a única coisa capaz de nos limpar por completo. Se realmente desejamos nos aproximar de Deus com mãos limpas e coração puro, precisamos desenvolver maior reverência e anseio pela Palavra dele, e somente por ela.

O partir do pão

Os primeiros cristãos se dedicaram ao partir do pão, o que, no Novo Testamento, significa compartilhar uma refeição na qual se relembra a ceia do Senhor. Pense no que essa ocasião representava para eles. A influência de Jesus sobre a igreja primitiva era imensa. Aqueles irmãos testemunharam o sacrifício dele na cruz e sua subsequente ressurreição. Foram incompreendidos e confrontados pelas pessoas de sua época, e alguns foram atacados ou até mesmo mortos por terem escolhido seguir Jesus.

Portanto, reflita sobre como aqueles irmãos se sentiam ao se reunir com os poucos homens e mulheres que compartilhavam da mesma missão e das mesmas crenças que eles. Imagine-se sentado diante de uma mesa na qual você divide uma refeição com gente que o ama incondicionalmente e cuja vida foi tão transformada quanto a sua. Nesses encontros, é impossível não se lembrar daqueles que outrora estiveram junto de vocês mas acabaram mortos por proclamar o sacrifício de Cristo. Alguns que lhe fazem companhia à mesa carregam as cicatrizes da perseguição. Vocês partem o pão e o comem, lembrando-se de que Jesus partiu o próprio corpo a fim de que obtivessem vida por meio dele. Pense como seria beber vinho com esses companheiros de fé em memória do sangue de Cristo vertido na cruz. Ele derramou seu sangue para que vocês fossem limpos e tivessem seus pecados perdoados. Consegue perceber quão intensas eram as experiências daquela primeira igreja a cada vez que ela se reunia?

Se para alguém hoje a ceia do Senhor parece enfadonha, é provável que essa pessoa tenha perdido de vista o valor do sacrifício de Jesus. Quando a ceia é considerada uma obrigação a ser cumprida em vez de uma necessidade vital, devemos submeter nosso coração a uma avaliação minuciosa. Deus deseja que amemos a ceia do Senhor a ponto de sentirmos que sem ela é impossível viver. Você já se sentiu assim? Ou acabou permitindo que o corpo partido de Jesus e seu sangue derramado se tornassem apenas mais um conceito teológico?

Deus estabeleceu a ceia do Senhor para que fosse um ato de intimidade pelo qual traríamos à memória sua carne e seu sangue. A intenção de Deus era que de fato comêssemos do pão e bebêssemos do cálice, e não que fizéssemos um mero exercício mental. E a ceia não tem a ver apenas com sermos íntimos de Cristo; tem a ver também com sermos íntimos uns dos outros. Lembre-se de que, logo depois de lavar os pés dos discípulos, Jesus os orientou a amar uns aos outros *assim como* ele os amou. Foi depois desse episódio que ele os ensinou a contemplar seu corpo partido e seu sangue em memória do amor com que os amou. Quando meditamos sobre a cruz e olhamos ao nosso redor, devemos nos perguntar: "Estou disposto a expressar esse mesmo tipo de amor?". Embora Jesus tenha nos instruído a exercer esse amor, isso pode parecer impossível à maioria dos frequentadores de igreja. Apenas imagine que a igreja seja formada por pessoas que literalmente se submeteriam à cruz umas pelas outras. Como é que alguém pode ficar impassível diante de tamanha expressão de amor? Essa entrega é o que os descrentes deveriam testemunhar ao nos ver partindo o pão uns com os outros. Se a ceia do Senhor não passa de um evento interessante na programação eclesiástica, em vez de fundamentar a existência da própria congregação, então já perdemos a noção do que é a igreja.

A comunhão

Conforme o Espírito de Deus conferia cada vez mais poder à igreja, os primeiros cristãos se devotavam à comunhão. O modo como se dedicavam uns aos outros deixava claro que Deus estava com eles. Não se pode menosprezar isso. De fato, todo o próximo capítulo deste livro trata desse aspecto. Sendo assim, deixemos por ora o tema da comunhão e tratemos de discutir sobre outra atitude daqueles irmãos.

As orações

Você se lembra da última vez que se reuniu com outros irmãos para orar? Ou a oração é algo que você faz somente antes das refeições ou que sua igreja realiza somente naqueles instantes de transição entre o sermão e a volta da banda ao palco?

Você diria que a oração é relevante na dinâmica de sua congregação? Se a oração não é um elemento vital em sua igreja, então sua igreja não é vital. Essa afirmação pode soar audaciosa, mas acredito que seja verdadeira. A igreja que cumpre sua missão sem oração diária e engajada não passa de uma igreja irrelevante cuja missão é insuficiente.

Os primeiros cristãos se dedicavam à oração. Eles sabiam que não poderiam existir sem ela. Se Deus não estivesse com eles, jamais cumpririam a missão para a qual os chamou. Por isso, eles se ajoelhavam constantemente em oração.

Atos 4 relata que, tão logo aqueles irmãos acabaram de orar pedindo por sinais, maravilhas e ousadia, o chão tremeu, e eles se viram tomados de coragem! "Depois dessa oração, o lugar onde estavam reunidos tremeu, e todos ficaram cheios do Espírito Santo e pregavam corajosamente a palavra de Deus" (At 4.31). Você não desejaria ao menos experimentar isso? Não acha que as "programações eclesiásticas" parecem bem entediantes se comparadas a cenas como essa? Como é que podemos ler sobre as experiências vividas pelos primeiros cristãos enquanto oravam e nos lançar à mera busca por cultos envolventes? Creio que aí bem dentro de você há um anseio por orar intensamente na companhia de outros que partilham de seus sentimentos, a fim de testemunharem respostas sobrenaturais.

A experiência mais valiosa

Deus ordena que a igreja se dedique à sua Palavra, à comunhão, à ceia do Senhor e às orações. Por quê? Porque ele deseja que seu povo experimente quem *ele* é. Aquele que é infinitamente maior que tudo o que podemos imaginar — o Criador do universo — anseia por intimidade conosco. Deus nos providenciou um mapa para que o procurássemos e o encontrássemos, e nós nos esquecemos disso, julgando nossas ideias melhores que as dele. Percebe o absurdo?

Nossa função é revelar Deus às pessoas. Ele se manifesta em sua Palavra, na comunhão, na ceia do Senhor e nas orações. Não somos chamados a criar comícios animados, mas tão somente a colocar Deus em evidência e observar como ele atrai as pessoas para si. Se elas não se interessam por ele, o que queremos alcançar ao tentar convencê-las por outros meios? Devemos aceitar o fato de que nem todo mundo está interessado em Deus. Tudo o que precisamos fazer é garantir que de fato estamos colocando Deus em destaque. Do contrário, corremos o risco de atrair para nossas reuniões pessoas apaixonadas por nós, e não por ele.

A festa

Certa vez, perguntei à minha filha quantas crianças viriam à sua festa de aniversário caso oferecêssemos apenas bolo. Nada de jogos ou brincadeiras. As crianças poderiam passar algum tempo com ela e trazer-lhe alguns presentes, mas não ofereceríamos nada além de bolo. Ela pensou por um momento e respondeu: "Talvez algumas poucas". Então, eu lhe perguntei quantas crianças se mostrariam interessadas caso reservássemos um restaurante com jogos eletrônicos e as deixássemos jogar quantas vezes quisessem, além de lhes oferecer comida e prêmios. Ela sorriu e assegurou que os amigos da escola estariam em peso na festa.

Assim, suponhamos que eu tenha reservado o salão de jogos e toda a escola tenha vindo à festa. As crianças estão em êxtase, experimentando a melhor celebração de que poderiam participar. Imagine que me aproximo de minha filha, coloco meus braços ao redor dela e lhe digo: "Olhe só quanta gente quis estar com você!". Ela acreditaria mesmo que aquelas crianças estavam ali por amor a ela e porque desejavam sua companhia? Ou será que minha fala soaria como um insulto?

Em síntese, não é isso o que fazemos a Deus? Aprendemos que é possível recorrer aos preletores certos e às bandas certas se quisermos encher os templos. Torne as coisas suficientemente interessantes, e as pessoas virão. Dizemos: "Senhor, olhe só quanta gente veio por amor a ti!". Será que realmente acreditamos que Deus se deixa enganar assim? Cremos que Deus se agrada com isso? Ele sabe quantos de nós, se houvesse apenas ele, estaríamos ali. Sabe que poucos ocupariam aquele lugar se tudo o que fosse oferecido ali se resumisse a comunhão ou oração.

Penso que muitos de nós agimos assim motivados por boas intenções. Estamos apenas nos empenhando em trazer pessoas para a festa do Senhor. Mas, considerando tudo o que você já leu nas Escrituras, parece mesmo que é isso o que Jesus quer? De novo: se Deus fizesse as coisas à maneira dele, acaso ele escolheria igrejas afoitas por entretenimento? Ou desejaria ser a razão pela qual as pessoas decidissem vir, ainda que isso implicasse um menor número de gente? Aliás, estamos mesmos certos de que o que Jesus busca são cultos bastante frequentados? Os modelos de igreja que adotamos parecem orientados apenas a isso, com poucas variações. O pastor Mike Breen comentou:

Muitos de nós nos tornamos muito bons nessa coisa de igreja. Contudo, Jesus se importa apenas com seus discípulos, esse é o único número que ele tem em conta. Isso não tem relação nenhuma com a quantidade de frequentadores, o orçamento envolvido ou os templos propriamente ditos.[4]

Em Malaquias, lemos que as adorações causavam tédio no povo de Deus. A resposta divina não foi nada branda. Quando o profeta chamou o povo de volta à paixão, à devoção e ao sacrifício da verdadeira adoração, as pessoas deram a seguinte resposta: "Que canseira!" (Ml 1.13, RA). Elas não viam a adoração como algo honroso, mas como uma obrigação. Hoje, nossa resposta seria: "Olhe como são enfadonhos! Vamos tornar a adoração mais empolgante; assim, todos aproveitarão melhor seu tempo!".

Mas a resposta de Deus foi bem diferente. Ele se sentiu tão ofendido que preferiu que as pessoas se calassem e acabassem com aquela cena toda.

> "Quem dera um de vocês fechasse as portas do templo para que não se acendesse em vão o fogo do meu altar! Não me agrado de vocês", diz o Senhor dos Exércitos, "e não aceitarei suas ofertas. Contudo, meu nome é honrado de manhã até a noite por pessoas de outras nações. Em todo o mundo oferecem incenso e sacrifícios puros em minha honra, pois meu nome é grande entre as nações", diz o Senhor dos Exércitos.
>
> Malaquias 1.10-11

Pare o jogo. Feche as portas. Isso tudo é um insulto (Ml 2.3).

Há alguns anos, um amigo indiano me acompanhou em uma pregação em Dallas. Ao ouvir a música e notar as luzes, ele disse: "Vocês, norte-americanos, são engraçados. Não aparecem se não houver um bom pregador ou bons músicos. Na Índia, as pessoas se empolgam simplesmente por orar". Ele continuou me contando como os crentes indianos amavam a ceia do Senhor e se reuniam em grandes grupos apenas para orar juntos. Imaginei Deus olhando para este mundo e percebendo que, em uma parte do planeta as pessoas se reúnem na expectativa de orar juntas, enquanto em outra parte as pessoas buscam apenas celebridades talentosas e uma "atmosfera" agradável. É vergonhoso.

David Platt ratificou isso:

> Também estou chocado ao ver como somos dependentes do tipo adequado de pregador e do músico perfeito, capaz de atrair as pessoas ao culto de adoração. Mas o que aconteceria se a igreja — o povo de Deus reunido em um lugar qualquer — fosse a atração propriamente dita, a despeito de quem estivesse pregando ou cantando naquele dia? Isso é o que basta para nossos irmãos e irmãs ao redor do mundo.[5]

Como Deus afirmou por meio de Malaquias, sempre haverá quem o adore de todo o coração. Deus não está desesperado.

Todavia, é da vontade de Deus que todos os seus filhos experimentem a plenitude dele por meio da igreja, e ele deu sua Palavra para nos mostrar como alcançar isso.

Proponho que sonhemos com crentes estremecidos e ajoelhados, emudecidos por compreender quão magnífico é falar com Javé. Vislumbremos pequenos grupos e grandes multidões achegando-se com grande expectativa apenas para orar. Isso é possível — em qualquer parte do planeta.

Sonhemos com pessoas indo de casa em casa para partilhar a ceia do Senhor. Algumas rompendo espontaneamente em lágrimas, outras em cânticos, nenhuma indiferente. Um irmão louva a Deus por seu sacrifício, imaginando a dor do Pai ao ver derramado o sangue de seu Filho. Outro se mantém calado, maravilhado por desfrutar da intimidade de comer do corpo e beber do sangue de Jesus. Ainda outro brada de alegria ao se perceber limpo de seus piores pecados.

Sonhemos com grupos de irmãos trêmulos durante a leitura das Escrituras. Pessoas fixas em seus assentos, reverenciando cada palavra de Deus, sem se importar com quem as lê. O que cativa essas pessoas nada mais é que a Bíblia em si. As explicações só ocorrem quando alguém precisa delas; todos se dedicam sobretudo a escutar a verdade a fim de que possam se arrepender e adorar a Deus.

Sonhemos com a verdadeira comunhão, pela qual todos vivem em perfeita harmonia com Deus e uns com os outros. Uma visão do Éden, onde Deus e a humanidade andam lado a lado. Cristo ocupa o centro de todos os relacionamentos. Imagine-o reunindo pessoas muito diferentes, gente que, em êxtase, contempla a grandeza de Deus, como ocorre no céu.

4
A turma

Vivemos uma época em que as pessoas frequentam um prédio aos domingos, participam de um culto de uma hora e se denominam membros da igreja.

Isso lhe causa estranhamento? Claro que não. Trata-se de algo bastante normal. Crescemos em meio a essa realidade. Todos sabemos que bons cristãos vão à igreja.

Mas você já leu o Novo Testamento alguma vez? É capaz de indicar nas Escrituras algo que ao menos remotamente se pareça com o padrão que criamos? Consegue mencionar um personagem bíblico que tenha "ido" à igreja?

Pense em Paulo e Pedro travando um diálogo como os que temos hoje:

— Ei, Pedro, que igreja você está frequentando agora?

— Vou à Rio do Trono. O som deles é ótimo e adoro o ministério infantil de lá.

— Legal! Posso aparecer por lá no próximo domingo? Não estou muito satisfeito com a minha congregação.

— Claro que pode! Não estarei no próximo culto porque o Mateusinho tem uma partida de futebol. Que tal na outra semana?

— Tudo bem. Lá tem grupo de solteiros?

É até engraçado imaginar Paulo e Pedro falando desse jeito. No entanto, é assim que os cristãos de hoje conversam. Por quê? Há tantas coisas erradas nesse diálogo que nem sei como começar a resposta. O fato de termos reduzido o sagrado mistério da igreja a um culto de uma hora é estarrecedor. Contudo, foi isso o que fiz por muito tempo! Eu não sabia explicar de outro jeito. Era o que todos faziam, então nem me ocorreu questionar.

Vamos à turma

Pense na seguinte história. Durante boa parte da vida, Rob, um dos presbíteros de nossa igreja, tinha uma turma. Quando encontrou Jesus, Rob estava encarcerado, preso em regime de solitária. Hoje ele é uma das pessoas mais amáveis que conheço. Para ser sincero, acho que não conheço ninguém que ame mais a Cristo e às pessoas do que ele.

Rob costuma me contar histórias de quando vivia com aquele bando e do medo que sentiu quando abandonou os colegas para se unir ao corpo de Cristo. Fazer isso estando em uma prisão pode ser um ato suicida. Rob teve de romper de vez com sua gangue — e grupos desse tipo são tudo menos moderados quando o assunto é rompimento. Mas o Senhor interveio em favor dele. Rob não receava apenas a tortura física ou a morte; o que lhe amedrontava era a rejeição daqueles a quem apreciava. Aquela turma era sua família. Eram amigos leais e queridos, gente que cuidava dele vinte e quatro horas por dia. Ele sentia afeição e camaradagem pelo grupo do qual fazia parte desde pequeno. Agora, corria o risco de perder aquelas pessoas e ser odiado por elas.

Quando Rob descreve a vida com aquela gangue, muito do que ele diz se parece com o que deveria ocorrer na igreja. Claro, há diferenças marcantes (drogas, assassinato e outros "detalhes" desse tipo), mas a ideia de "ser uma família" é central tanto para uma gangue quanto para a igreja planejada por

Deus. Embora, nas igrejas, usemos terminologias associadas à família, os relatos de Rob me convenceram de que as gangues se apropriaram disso de maneira muito mais intensa do que fazemos nas congregações.

De tudo o que você sabe sobre a vida em gangues, consegue imaginar uma turma dessas reunindo-se apenas uma hora por semana? Nenhum grupo que se encontra rapidamente uma vez por semana poderia ser chamado de gangue. Não dá para imaginar um integrante de um bando se aproximando de outro e dizendo: "Ei, como foi lá com a turma? Não pude ir dessa vez porque a vida anda bem corrida!".

Todos conhecemos a noção de gangue o suficiente para saber que se trata de algo absurdo. Ainda assim, toda semana ouvimos cristãos perguntando uns aos outros: "Como foi lá na igreja?". Aquilo que Deus pretendeu que funcionasse como uma família foi reduzido a um encontro semanal facultativo. E isso se tornou normal, senso comum. Como foi que chegamos a esse ponto? Qualquer membro de gangue lhe dirá que conta com a proteção de seus parceiros. Eles são leais, comprometidos e sempre dispostos. Enquanto isso, em muitas igrejas a conexão que as pessoas têm com sua suposta família espiritual é a mesma que têm com aqueles que se sentam ao lado delas no cinema.

Amor sobrenatural

Seria apenas um clichê simpático dizer que a igreja deve funcionar como uma família? Não negamos que se trata de um conceito interessante, mas o fato é que compreendemos *nossa família* como família. Será que Deus realmente espera que tenhamos tanta afinidade assim com pessoas com as quais não temos vínculos sanguíneos e que sequer escolheríamos como amigos? Concordo que somos naturalmente próximos de nossos familiares e que não é natural experimentar esse tipo de conexão com gente diferente de nós. Mas o ponto é exatamente esse. Não deve ser algo natural, mas sobrenatural!

Uma coisa que o Novo Testamento esclarece é que a igreja deve ser conhecida por seu amor. Jesus afirma que nosso amor mútuo é o que atrairá as pessoas:

> Por isso, agora eu lhes dou um novo mandamento: Amem uns aos outros. Assim como eu os amei, vocês devem amar uns aos outros. Seu amor uns pelos outros provará ao mundo que são meus discípulos.
>
> João 13.34-35

Entretanto, você é capaz de nomear uma única igreja conhecida pelo modo como seus integrantes amam uns aos outros? Estou certo de que você consegue pensar em congregações famosas por seus cultos empolgantes, preletores vigorosos, adoração intensa ou programação bem planejada. Mas será que consegue citar uma igreja conhecida por manifestar amor sobrenatural?

Considerando que a noção de mutualidade é mencionada mais de uma centena de vezes no Novo Testamento ("amem uns aos outros", "cuidem uns dos outros", "orem uns pelos outros", "exortem uns aos outros" etc.), por que razão é tão difícil apontar uma igreja conhecida pelo cuidado mútuo entre os irmãos? Está claro que Deus se importa com isso. Então, por que não nos importamos também? Os líderes da Cornerstone e eu nos perguntávamos se as pessoas percebiam a manifestação do amor sobrenatural ao participar de nossos cultos. Não que fôssemos desprovidos de amor, apenas não era algo que se destacava entre nós. Para ser honesto, o amor que havia em nosso meio estava bem longe de ser atribuído ao Espírito Santo.

A esta altura, você pode estar pensando: "Bem, essa é a experiência do Francis com a igreja dele. Eu de fato sou parte de uma congregação bastante amável, provavelmente mais amorosa que Cornerstone". Sim, isso é possível. Mas devo dizer que Cornerstone era uma igreja muito, muito amorosa — tanto quanto uma igreja norte-americana consegue ser. Certamente apreciávamos estar juntos, dispor de bons pequenos grupos, servir aos pobres que moravam próximo à igreja e também aos de longe, espalhados pelo mundo. Éramos uma congregação muito simpática e gentil, e sem dúvida testemunhamos atos de amor inspirados pelo Espírito. Com algumas notáveis exceções, apenas não era comum para nós experimentar o que líamos na Bíblia.

Como presbíteros, não nos contentávamos em apenas demonstrar às pessoas um amor maior que o que encontrariam na igreja da esquina mais próxima. Ansiávamos pelo amor bíblico, pois nosso amor se parecia muito com aquele que recebíamos de colegas de trabalho e vizinhos. Por vezes, somos ligeiros em rotular a experiência eclesiástica como "amor cristão". Jesus afirmou que até mesmo os pecadores sabem como amar uns aos outros (Lc 6.32-34). Você já trabalhou em um restaurante, frequentou uma academia ou se juntou a outros pais em eventos esportivos dos quais seu filho participou? A conexão que você vivencia em sua igreja é diferente da que experimentou nessas ocasiões? Deveria ser.

Jesus instruiu: "Assim como eu os amei, vocês devem amar uns aos outros" (Jo 13.34). Nosso Rei, que se submeteu à tortura e à morte em nosso favor, nos orienta amar as pessoas como ele amou. Você já se imaginou amando um irmão em Cristo de maneira tão desprendida e sacrificial? Quando foi a última vez que você se aproximou despretensiosamente de um irmão ou de uma irmã na tentativa de revigorá-los, a despeito de quanto isso lhe custasse?

Pense em algumas pessoas que você encontra em sua igreja. Visualize o rosto de cada uma. Agora, reflita sobre quão longe Jesus teve de ir para buscá-las para si. Pense nas chicotadas que recebeu. Ele as suportou para que elas alcançassem perdão. Imagine o que ele pensava acerca dessas pessoas enquanto carregava a cruz. Nenhum sacrifício era demasiado para ele, nada o faria desistir. Ele realizou tudo o que foi necessário para nos redimir e nos transformar.

E Jesus fez o mesmo por você. Então, pergunte-se: "A quem Deus quer que eu busque? Com quem posso passar mais tempo? Jesus foi às últimas consequências pelas pessoas; por que eu deveria ter reservas contra elas? Jesus desceu dos céus à terra a fim de trazer essa gente para a família dele; então, que barreiras podem estar me impedindo de construir uma relação familiar intensa com essas pessoas?".

Temos experimentado o maior amor que pode haver no universo. Será que não deveríamos deixar esse amor tão profundo fluir de nosso interior? Isso não seria o bastante para comover o mundo?

> Amados, continuemos a amar uns aos outros, pois o amor vem de Deus. Quem ama é nascido de Deus e conhece a Deus. Quem não ama não conhece a Deus, porque Deus é amor. Deus mostrou quanto nos amou ao enviar seu único Filho ao mundo para que, por meio dele, tenhamos vida. É nisto que consiste o amor: não em que tenhamos amado a Deus, mas em que ele nos amou

e enviou seu Filho como sacrifício para o perdão de nossos pecados. Amados, visto que Deus tanto nos amou, certamente devemos amar uns aos outros. Ninguém jamais viu a Deus. Mas, se amamos uns aos outros, Deus permanece em nós, e seu amor chega, em nós, à expressão plena.

1João 4.7-12

Percebeu? Trata-se da promessa de que, *se amarmos uns aos outros*, Deus *permanecerá* em nós e a *plenitude* de seu amor se manifestará por nosso intermédio. Existe no mundo algo que você queira mais que isso? Não vivemos como se essa afirmação fosse verdadeira, e essa realidade parte o meu coração, pois nessa passagem também há uma grave advertência segundo a qual aqueles que não amam não conhecem a Deus. O que isso diz acerca de nossas igrejas? A importância de amarmos uns aos outros é enfatizada em toda a Bíblia (Rm 12.9-10; 1Co 13; 1Pe 4.8 etc.), e não posso deixar de notar que nossa falta de amor nos priva de algo extraordinário.

Unidade sobrenatural

Pouco antes de seu sacrifício na cruz, Jesus fez uma oração fascinante em favor de seus discípulos. Algumas das afirmações que ele incluiu nessa oração realmente desafiam minha fé.

Não te peço apenas por estes discípulos, mas também por todos que crerão em mim por meio da mensagem deles. Minha oração é que todos eles sejam um, como nós somos um, como tu estás em mim, Pai, e eu estou em ti. Que eles estejam em nós, para que o mundo creia que tu me enviaste. Eu dei a eles a glória que tu me deste, para que sejam um, como nós somos um. Eu estou neles e tu estás em mim. Que eles experimentem unidade perfeita, para que todo o mundo saiba que tu me enviaste e que os amas tanto quanto me amas.

João 17.20-23

Jesus orou para que a unidade de seus seguidores se igualasse à unidade dele, o Filho, com o Pai! Ele deseja que você e eu sejamos um *assim como* o Filho e o Pai são um! Já se imaginou buscando esse tipo de unidade com a sua igreja?

Você ao menos acredita que isso é possível?

Deixe-me prosseguir. A oração de Jesus não foi para que nós apenas nos relacionássemos bem e evitássemos divisões na igreja. Foi para que alcançássemos "unidade perfeita". Isso porque essa unidade provaria que ele era o Messias. Jesus disse que o propósito de nossa unidade era que "todo o mundo" soubesse que o Pai que o enviou é cheio de amor.

Para alguns de nós, a oração de Jesus não faz sentido. Como é que nossa unidade pode levar o mundo a crer? De que maneira a constatação de que amamos uns aos outros pode fazer alguém acreditar que Jesus realmente desceu dos céus? Parece que estamos dizendo que dois mais dois é igual a mil. Porém, basta lembrar que as Escrituras trazem várias equações impossíveis. Marchar sete vezes ao redor de uma cidade não soa como algo suficiente para provocar a queda de seus muros, mas foi o que aconteceu (Js 6). Não é tão simples crer que a unidade da igreja resulta na salvação de pessoas, mas a realidade da igreja primitiva provou que isso de fato ocorre (At 2.44-47).

Unidos, os primeiros cristãos conduziram as pessoas à salvação. Veja como Atos descreve esse grau de unidade:

> Todos os que creram estavam unidos em coração e mente. Não se consideravam donos de seus bens, de modo que compartilhavam

tudo que tinham. Com grande poder, os apóstolos davam testemunho da ressurreição do Senhor Jesus, e sobre todos eles havia grande graça. Entre eles não havia necessitados, pois quem possuía terras ou casas vendia o que era seu e levava o dinheiro aos apóstolos, para que dessem aos que precisavam de ajuda.

Atos 4.32-35

Não sei quanto a você, mas esse trecho sempre me comove. Nele a igreja se mostra tão bela, tão atraente! É esse amor que torna nossa mensagem convincente. A Bíblia é clara: há um vínculo real entre nossa unidade e a credibilidade daquilo que apregoamos. Se de fato estamos comprometidos em conquistar os perdidos, devemos levar a sério a busca por unidade.

> O mais importante é que vocês vivam em sua comunidade de maneira digna das boas-novas de Cristo. Então, quando eu for vê-los novamente, ou mesmo quando ouvir a seu respeito, saberei que estão firmes e unidos em um só espírito e em um só propósito, lutando juntos pela fé que é proclamada nas boas-novas. Não se deixem intimidar por aqueles que se opõem a vocês. Isso é um sinal de Deus de que eles serão destruídos, e vocês serão salvos.
>
> Filipenses 1.27-28

Se acaso você pulou a passagem bíblica do parágrafo anterior, por favor volte e leia-a. Então, leia de novo. Atente para a promessa ao final do texto: nossa firme unidade sinaliza a destruição daqueles que se opõem a nós! Vivemos em um tempo em que pouquíssima gente acredita na ira divina. Nem mesmo as pessoas mais vis que conhecemos creem no dia do juízo. Já tentou convencer alguém acerca da destruição final? Não é tarefa fácil. Apesar disso, as Escrituras afirmam que nossa destemida unidade convencerá as pessoas.

Quando é que vamos levar essas promessas a sério e nos esforçar por viver em unidade? Não falo somente daquele tipo de relação em que evitamos discutir com os outros, mas daquela conexão que nos faz viver como família. Falo daquela convivência na qual atendemos às necessidades uns dos outros e manifestamos cuidado mútuo independentemente do tempo ou da energia que teremos de despender. Não se alcança unidade facilmente. Pense em como é difícil manter uma família unida — considere todos os atos de serviço envolvidos, todo perdão e toda graça continuamente ofertados, todas as vezes que as vontades de um precisam ser amorosamente postas de lado em detrimento das vontades de outro. É fácil falar em unidade, mas, para atingi-la, é preciso haver um tipo de compromisso coletivo que não existe em nossas igrejas. Se queremos alcançá-la, precisamos pesar os custos e decidir se assumiremos essa responsabilidade. Não sei no seu caso, mas isso não me parece uma decisão natural. Sou um introvertido que se sente bem na companhia de uns poucos amigos. Em geral, a obediência vai no sentido contrário de nossos anseios naturais, mas se formos obedientes apenas quando nos convém, então Jesus não é de fato o Senhor de nossa vida. Cabe dizer, porém, que a obediência comumente promove bênção inesperada. Agora que comecei a experimentar verdadeira unidade com meus irmãos e irmãs, não quero nunca mais deixar de viver isso.

Empenhar-se para que a igreja viva como família não implica nenhum truque de mágica, nenhuma "amostra grátis" do que é ser parte de uma congregação. Trata-se de um mandamento, e também de algo que nos é ofertado. O que Deus mais deseja é transformar sua igreja em uma família unida e sobrenaturalmente amorosa. Será que acreditamos que ele é capaz de fazer isso? Confiamos que o propósito dele para a igreja é o mais eficaz?

Inventamos inúmeras técnicas para alcançar os perdidos, embora Deus afirme que a unidade é o único método eficiente. Pense nisto: Deus nos instruiu sobre como alcançar o mundo, mas nós abandonamos as orientações divinas e nos atrapalhamos criando aulas, programas e eventos que promovem tudo, menos a estratégia dada por Deus!

Já nos demos por vencidos?

Quando lê sobre a unidade que marcou a igreja primitiva, você sente uma ponta de inveja? Algo em seu interior deseja ter vivido dois mil anos atrás, de modo que você pudesse participar de um grupo como aquele? Pode ser desalentador perceber que isso é algo que você sempre quis, mas que não encontrará na igreja atual.

É triste notar que nossas igrejas não se parecem em nada com a daqueles irmãos. É devastador não acreditar que aquilo pode se repetir.

O que vejo hoje é muita gente optando por deixar a igreja. Alegando preservar seu amor por Jesus, essas pessoas chegaram à conclusão de que a igreja é apenas um obstáculo. É lamentável saber que há quem desista da igreja desejando aproximar-se de Jesus.

Em 1Timóteo, há um versículo assustador no qual Paulo fala de dois homens que rejeitaram a fé. O apóstolo diz que os entregou a Satanás colocando-os para fora da igreja (1.20). Em suma, aqueles homens se opunham ativamente às obras de Deus, de modo que, em vez de fingir que tudo estava bem, Paulo os despojou da segurança e das bênçãos experimentadas na comunhão dos crentes. A intenção dele era que, diante da miséria de se verem separados da igreja, aqueles homens se arrependessem. Consegue captar a importância disso? Paulo equiparou a expulsão da igreja à entrega a Satanás! Parece-me insano que estejamos vivendo uma época na qual as pessoas façam isso voluntariamente! Não é a igreja que lhes nega a comunhão; elas mesmas escolhem se entregar ao diabo!

Supõe-se que nas igrejas haja amor verdadeiro, unidade e bênçãos. Contudo, por não experimentar essas coisas, muitos acabam se afastando. Jesus disse que, ao testemunhar nossa unidade e nosso amor sobrenaturais, o mundo creria nele. Mas não temos vivenciado isso. Já nos demos por vencidos e deixamos de acreditar nessa possibilidade.

O que seria de nós se levássemos a sério o fato de Deus descrever a igreja como uma família? O que aconteceria se um grupo de irmãos buscasse a Cristo fervorosamente, manifestasse amor mútuo sacrificial e pregasse o evangelho com ousadia?

Infelizmente, em nossas igrejas, há muitas pessoas desinteressadas em viver como família amorosa. O que vou dizer agora pode soar duro: e se deixássemos essa gente ir embora? Sei que isso contraria as modernas estratégias de crescimento de igreja, mas é justamente o tipo de coisa que Jesus faria. Nossa conduta é criar técnicas sutis para levar as pessoas a adotarem um compromisso cristão e para fazer crescer a frequência em nossos cultos. Contudo, Jesus sempre chamou as pessoas alertando-as do custo de segui-lo (Lc 14.25-35). Ele nunca esperou que seus seguidores fossem perfeitos, mas ordenou que fossem comprometidos (Lc 9.57-62). Se em sua igreja existe esse tipo de compromisso relacional e alguns indivíduos estão indo embora por falta de identificação com isso, eles que encontrem outra congregação que lhes ofereça o que procuram. Não se pode deixar que a dinâmica da igreja gire em torno daqueles que escolhem cair fora quando as coisas se parecem com o que lemos no Novo Testamento.

Jesus nunca dourou nenhuma pílula. O que ele fez foi prometer que seu Espírito pode nos unir de uma maneira que nunca experimentamos. Talvez estejamos tão focados em nossos esforços por promover cultos empolgantes que deixamos de perceber as pessoas que o Espírito anseia trazer a nós.

Se acolhêssemos o propósito do Senhor para a igreja e, assim, permitíssemos que ela fosse podada de modo a abrigar apenas aqueles que desejam obedecer ao mandamento dele: "Amem uns aos outros como eu amo vocês" (Jo 15.12), talvez descobríssemos que a árvore podada gera mais frutos (Jo 15.2). Possivelmente, notaríamos que os ramos improdutivos sugavam a vida de toda a planta.

Não podemos nos esquecer de que, às vezes, Deus não deseja apenas que deixemos as pessoas ir; ele quer que as convidemos a se retirar. Existe aqui uma realidade difícil de encarar: há pessoas que tentam se aproveitar de igrejas comprometidas em amar. Se nos propormos amar uns aos outros como família, precisaremos viver em graça e perdão. Contudo, há casos em que a atitude mais amorosa que podemos ter com alguém é não tolerar seu pecado, mas seguir o exemplo de Paulo em 1Timóteo citado anteriormente: afastar esse indivíduo. Foi para o bem da igreja que aqueles dois homens foram expulsos. Não se alcança a unidade bíblica fazendo vista grossa ao pecado, mas, sim, mediante a poda consistente e capaz de conduzir ao arrependimento. O amor incondicional nem sempre se parece com o que imaginamos. Diante do risco da rejeição, é preciso haver muito amor para levar um pecador a se arrepender.

Tenha coragem

Sendo bem sincero, durante muito tempo não acreditei na possibilidade de uma igreja ser conhecida pelo amor e pela unidade descritos na Bíblia. As pessoas me diziam que isso era improvável, sobretudo nos Estados Unidos. Talvez alguém pudesse testemunhar alguns exemplos em regiões como a China, mas, segundo os líderes eclesiásticos, esse tipo de coisa acontecia em tais lugares porque ali as pessoas já têm o hábito de viver em comunidade e porque a perseguição que elas sofrem as torna naturalmente unidas. Uma parte de mim sempre questionou esses argumentos, mas foi só há pouco tempo que me senti encorajado a confrontá-los. Foi mais difícil do que pensei, mas também mais recompensador do que poderia imaginar. Isso também pode acontecer aí onde você está. O amor e a unidade do Espírito Santo não estão restritos a países em que se perseguem cristãos.

5
Servos

Qual seria a sua reação se Jesus o descalçasse agora mesmo e começasse a lavar os seus pés? Tente vislumbrar essa cena.

Eu não conseguiria me conter. Vejo-me chorando compulsivamente. Acho que me sentiria absolutamente indigno e constrangido, mas também seguro e honrado. Mal posso me imaginar no mesmo ambiente onde está Jesus. Não consigo conceber a ideia de que meu Criador e Juiz se dispõe a lavar meus pés. Parece absurdo.

Essa noção de que o Deus todo-poderoso se humilhou a ponto de nos servir e de morrer por nós é a essência de nossa fé. Na raiz de nosso chamado está o mandamento para que imitemos a Deus servindo uns aos outros. Depois de lavar os pés dos discípulos, Jesus ordenou que eles fizessem o mesmo entre si (Jo 13.14). Entretanto, em que medida os "cristãos" hoje se dispõem a servir aos outros?

Jesus disse: "Pois nem mesmo o Filho do Homem veio para ser servido, mas para servir e dar sua vida em resgate por muitos" (Mt 20.28). No entanto, não é nenhum segredo que a maioria das pessoas vai à igreja mais para consumir que para servir. Sabemos que isso é uma estupidez, mas nos resignamos a esse ponto. Aprendemos a aceitar essa atitude como se não pudéssemos fazer nada a respeito. As pessoas entregam suas ofertas e, assim, mantêm a equipe ministerial; então, os ministros devem fazer sua parte e atender às pessoas. Parece uma engrenagem adequada e eficiente, e funciona muito bem em alguns casos. Não corresponde à vontade de Deus, mas funciona.

> Há alguma motivação por estar em Cristo? Há alguma consolação que vem do amor? Há alguma comunhão no Espírito? Há alguma compaixão e afeição? Então completem minha alegria concordando sinceramente uns com os outros, amando-se mutuamente e trabalhando juntos com a mesma forma de pensar e um só propósito. Não sejam egoístas, nem tentem impressionar ninguém. Sejam humildes e considerem os outros mais importantes que vocês. Não procurem apenas os próprios interesses, mas preocupem-se também com os interesses alheios. Tenham a mesma atitude demonstrada por Cristo Jesus. Embora sendo Deus, não considerou que ser igual a Deus fosse algo a que devesse se apegar. Em vez disso, esvaziou a si mesmo; assumiu a posição de escravo e nasceu como ser humano. Quando veio em forma humana, humilhou-se e foi obediente até a morte, e morte de cruz.
>
> Filipenses 2.1-8

Deus quer que você se pareça com seu Filho, especialmente nas reuniões com sua família da fé. Você vai a esses encontros com a expectativa de servir? Pode ser que, diante dessa pergunta, alguns leitores se sintam pressionados, como se um peso fosse colocado em suas costas. Sua vida já é corrida demais, então você quer que a igreja seja um lugar onde possa descansar e ser alimentado. Porém, se acredita mesmo que ficar ali sentado e esperar que os ministros o atendam lhe trará satisfação, você está muito enganado. Deus afirmou que mais abençoado é quem dá, não quem recebe (At 20.35). Não há maior miserável que aquele que só busca vantagens para si. Nossa destruição deriva de nossa incapacidade de tirar os olhos de nós mesmos e contemplar os outros. É disso que

Jesus nos salva. É essa transformação que o Espírito Santo deseja operar em nós. As pessoas mais humildes costumam ser as mais felizes.

Imagine-se parte de um grupo que se empenha no serviço mútuo. Você já esteve em uma sala cheia de pessoas humildes que tratam as outras como mais importantes? Ali se experimenta de tudo, menos sobrecarga. Quando servos se juntam, todos saem ganhando. Deus abomina o consumismo porque esse é um tipo de mentalidade que priva a igreja de vivenciar o vigor preparado pelo próprio Senhor. Não desista de viver isso. A igreja não precisa continuar sendo um amontoado de gente queixosa por não receber o que esperava. Ela pode realmente se tornar um grupo de pessoas que se desenvolvem e prosperam por servir umas às outras.

Experimentando Deus

Paulo explicou aos irmãos em Corinto que a cada um deles fora dada uma habilidade sobrenatural com a qual abençoariam outros na congregação. Ele chamou essas habilidades de manifestações do Espírito (1Co 12.7). Testemunhar Deus agindo por meio de um ser humano! Isso mexe com você?

Alguns de nós já presenciaram demônios se apossando de pessoas e falando por meio delas; outros só viram isso em filmes de Hollywood. As Escrituras registram casos assim. Podemos imaginar um demônio dominando completamente uma pessoa, fazendo-a falar e se mover como ele bem quiser.

Por que motivo a maioria de nós tem mais facilidade para visualizar uma possessão demoníaca do que manifestações do Espírito Santo? Muitos afirmariam crer que existem endemoninhados, mas será que acreditamos que o Espírito pode agir por nosso intermédio em grau imensamente maior? Nossas reuniões existem para manifestar o sobrenatural! Ficaríamos assombrados por um bom tempo se encontrássemos uma mulher possuída por um demônio. Então, por que não ficamos igualmente atônitos diante de uma mulher cheia do Espírito do Senhor? Precisamos elevar nossas expectativas! Você não ficaria ansioso pelo próximo culto se soubesse que nessa ocasião o Espírito Santo literalmente se manifestaria por meio de alguém, ou mesmo mediante toda a igreja?

Nós nos satisfazemos com muito pouco. Ficamos bem se alguém sai contente de nossas reuniões, mas Deus quer que as pessoas fiquem admiradas. Não estou sugerindo que busquemos tornar nossos cultos espetáculos excêntricos, do tipo em que há até mesmo serpentes venenosas. Tampouco estou dizendo que devemos tentar promover delírios emocionais desprovidos de essência divina. Estou afirmando que nos acostumamos com a normalidade e que nossas escolhas não dão conta de mostrar que de fato cremos no poder do Espírito Santo. Por causa disso, nossas reuniões são bastante presumíveis e, por vezes, mecânicas e desprovidas de intenção.

Paulo almejava que todos os cristãos cressem que Deus pretendia se mover por meio deles, possuí-los e se manifestar neles a fim de edificá-los. Você vai aos cultos à procura disso? Se você se contenta em apenas receber algo dos outros, está se privando da experiência de ser usado pelo Espírito Santo, e isso acabará levando você à insatisfação e causará sofrimento à sua igreja. O dom que você recebeu é muito importante.

Tradicionalmente, as igrejas se igualam ao mundo no que se refere a valorizar as pessoas. Buscamos grandes líderes, bons comunicadores e artistas talentosos; apreciamos seus dons e os colocamos na vitrine. Tal qual o mundo faz, ignoramos muita gente que, à primeira vista, parece não ter nada a oferecer. Nossa postura demonstra que esperamos contribuições sobrenaturais de todos os que integram o Corpo de Cristo? Jamais ousaríamos encarar Deus e chamar um de seus filhos de inútil. Mas aquilo que não dizemos com os lábios gritamos por meio de nossas ações.

Depois de estudar 1Coríntios 12—14 durante alguns anos, os presbíteros e eu nos arrependemos muito. Percebemos que não esperávamos muito de boa parte de nossos irmãos. Começamos a apresentar essas pessoas em oração e nos aproximamos delas uma a uma, a fim de incentivá-las. Decidimos procurar os menos visíveis em nossa congregação e fazê-los lembrar-se da verdade bíblica segundo a qual precisávamos muitíssimo de cada um deles. Afinal, no contexto de 1Coríntios, Paulo esclarece que é mediante os fracos que Deus escolhe revelar seu poder (1.26-27). Qual seria nossa atitude se realmente acreditássemos nisso? Será que não estamos nos igualando ao mundo ao privilegiar o rico, o belo e o talentoso? Muita gente entra no templo e sai dele totalmente despercebida. Por alguma razão, os abastados, os diretores de empresa e os famosos são sempre notados. Será que isso não quer dizer nada?

O dom de liderança

Devemos parar de ver os líderes de igreja como prestadores de serviço à nossa disposição. Deus deixou bem clara a função desses irmãos: eles não existem para nos mimar, mas para nos equipar. Estão mais para *personal trainers* que para massagistas.

O apóstolo Paulo escreveu: "[Deus] designou alguns para apóstolos, outros para profetas, outros para evangelistas, outros para pastores e mestres. Eles são responsáveis por preparar o povo santo para realizar sua obra e edificar o corpo de Cristo" (Ef 4.11-12). O Pai considera todos os seus filhos extremamente talentosos. Deus está certo de ter realizado um trabalho excelente ao criar cada um deles e capacitá-los de modo sobrenatural. A vontade do Senhor é ver seus filhos exercendo todo o potencial que têm para servir, e ele designou líderes para a igreja a fim de garantir que isso se concretizasse. Pouca gente entende ser essa a função da liderança eclesiástica. Não raro, os próprios pastores não compreendem bem o papel que exercem. Hoje, muitos líderes são como professores de ginástica que levantam o peso no lugar de seus clientes e correm na esteira enquanto os alunos assistem maravilhados. Depois nos perguntamos por que é que as pessoas não amadurecem...

Na casa onde moro com minha família, há uma parede cheia de marcas. É nela que as crianças anotam sua altura de tempos em tempos, para ver quanto cresceram. Qualquer centímetro a mais é motivo de festa (Lisa e eu fazemos filhos pequenos), e há aquele clima de desapontamento toda vez que as crianças mantêm a mesma marca por muito tempo. Elas querem crescer! Para certificar-se de que são bons cuidadores, os pais de primeira viagem, em sua maioria, vivem medindo e pesando seus bebês. Se o bebê não cresce, os pais entram em pânico e se empenham em resolver o problema. Supõe-se, afinal, que o crescimento seja algo natural.

Por que não temos a mesma expectativa em relação à igreja? Semana após semana, deparamos com os mesmos rostos, pessoas cuja vida passou por pouca ou nenhuma mudança. Absurdamente, continuamos a fazer as mesmas coisas esperando obter resultados diferentes. A cada semana, a mesma conversa, o mesmo "bom sermão", o mesmo "até logo". Se não há fruto, será que não é hora de mudar? Recentemente ouvi alguém dizer: "Toda instituição é perfeitamente desenhada para produzir os resultados que alcança". Talvez seja o momento de dar uma guinada radical.

Ainda que desejássemos que todos usassem seus dons, seria possível que o fizessem, considerando o modo como organizamos as coisas? Não há tempo. Reduzimos a "igreja" a um culto de uma hora e meia no qual uma pessoa prega por quarenta e cinco minutos e outra conduz a música por meia hora. Restam quinze minutos para anúncios e apertos de mão forçados nas pessoas sentadas próximas de nós. Estamos possibilitando que todos se sintam livres para serem usados por Deus a fim de encorajar e edificar uns aos outros? Acaso não tornamos nossas congregações tão profissionais e imponentes que apenas uma minoria selecionada consegue contribuir?

Ao falar sobre a igreja, Paulo comentou: "Cada parte, ao cumprir sua função específica, ajuda as demais a crescer, para que todo o corpo se desenvolva e seja saudável em amor" (Ef 4.16). Uma igreja só amadurece quando cada um cumpre sua função. Se abrirmos mão de que os membros de nossa congregação exerçam seus dons espirituais, estaremos fadados à imaturidade.

O que temos produzido?

Se todos os graduados em Harvard resolvessem trabalhar em uma lanchonete, que pai ou mãe em sã consciência gastaria toda aquela fortuna para que o filho estudasse lá? Supõe-se que os formados em Harvard sejam profissionais prontos para ocupar cargos de alto escalão. Do mesmo modo, Paulo esperava que a igreja produzisse pessoas santas, valentes, engajadas, inabaláveis diante de falsos ensinamentos e capazes de resistir à tentação (Ef 4.11-14). Ao descrever o que pretendia incentivar naqueles a quem pastoreava, o apóstolo se referiu a amadurecimento e "completa medida da estatura de Cristo" (v. 13). Os membros de sua igreja têm essas características?

Estabelecemos expectativas bem altas em relação a quem passa quatro anos estudando em Harvard. Deveríamos esperar muito mais de quem passa quatro anos (ou quatro décadas!) na igreja.

No fim das contas, o que vale é o que produzimos. Ficamos obcecados em fazer as pessoas entrarem no templo e ignoramos o que sai dele. O propósito da igreja não é puramente existir, mas produzir. Estamos formando discípulos maduros que imitam a Cristo por meio de incansável serviço mútuo? Estamos desenvolvendo comunidades amorosas o bastante para deixar o mundo maravilhado (Jo 13.34-35)? Se não são esses os resultados que obtemos, para que existimos?

Faço coro à indagação de Mike Breen:

> Somos bons apenas em reunir pessoas uma vez por semana, e talvez em pequenos grupos, ou nos destacamos em produzir o tipo de gente descrito no Novo Testamento? Será que não mudamos a definição de "bom discípulo" para alguém que aparece em nossos eventos, entrega ofertas e, vez ou outra, alimenta os pobres?[1]

Verdadeiramente atraentes

Certa vez, vinte anos atrás, minha esposa resolveu frequentar a academia (esse não é bem o tipo de coisa que ela curte fazer). No primeiro dia, ao chegar em casa, perguntei-lhe como se saíra. Ela me contou que havia feito uma aula de *step* (bastante popular nos anos 1990), mas não tinha sentido muito resultado. Quando questionei o porquê, ela explicou que a instrutora era tão obesa que foi difícil sentir-se motivada. Lisa não teve a intenção de ser rude. Ela estava acostumada a ter instrutoras que lhe causavam certa inveja. Os anunciantes usam esse método para vender aparelhos de ginástica na tevê, pois sabem que é assim que somos influenciados. Eles contratam alguém de corpo totalmente esculpido para que treine em tais aparelhos e, então, instigam você a sacar o cartão de crédito na expectativa de se tornar igual àquela pessoa.

Quando leio sobre o apóstolo Paulo, sou desafiado a me tornar como ele. Quando leio sobre seu anseio por Cristo (Fp 1.21-26), sua perseverança em meio às provações (2Co 11.16-33) e seu amor pelas pessoas (Rm 9.1-3), sou impactado. Quero me parecer com ele e ter a paz que ele tem. Assim como Paulo, ao chegar ao fim da vida desejo a certeza de não a ter desperdiçado. É o exemplo desse homem, e não exatamente as palavras dele, o que mexe comigo.

Embora existam muitos apresentadores, blogueiros e palestrantes famosos, ninguém de fato admira essas pessoas. São apenas comunicadores, que podem até iludir uns e outros. Contudo, não há quem deixe de admirar uma vida digna de ser imitada. Parece que não temos mais esse tipo de experiência na igreja. Queremos que as pessoas sejam atraídas por nosso discurso enquanto mantemos um estilo de vida nada cativante e nos orgulhamos por exibir umas poucas famílias com filhos imaculados que não falam palavrão.

Isso está longe de provar que Deus está conosco. Se fôssemos capazes de analisar objetivamente, reconheceríamos por que as pessoas não estão fazendo fila na porta de nossos templos.

Caso visse muçulmanos anunciando bolinhos grátis e sorteando um iPad como forma de atrair pessoas para suas reuniões, eu acharia simplesmente ridículo. Para mim, essas coisas evidenciariam que o deus deles não responde às suas orações. Se eles recorressem a *shows* de *rock* e a preletores divertidos para alcançar multidões, eu os veria como insanos e consideraria esse deus alguém sem valor nenhum. Entenda que não estou apontando o dedo para nenhuma igreja que se empenha em atrair as pessoas pelas razões corretas. Passei anos fazendo isso e acredito que havia sinceridade em meu coração. Eu desejava que as pessoas ouvissem o evangelho a qualquer custo. (Devemos louvar ao Senhor por pessoas de coração sincero!) Estou apenas propondo a você que reflita sobre como nossas atitudes são vistas pelo mundo. Nossas boas intenções podem ter sido bem-sucedidas em fazer alguns se achegarem a nós, mas também podem ter levado toda uma geração a testemunhar uma visão muito pequena do nosso Deus. Para muitos, é difícil entender por que um grupo de pessoas supostamente cheias do Espírito de Deus, capazes de falar com o Criador do universo, precisa recorrer a efeitos especiais.

Era uma vez uma igreja

Existe alguma condição específica em que uma igreja deixa de ser igreja? Será que isso ocorre quando sua declaração de fé deixa de reconhecer Cristo como o Filho de Deus? O fato de frequentarmos um prédio em cuja entrada se lê "igreja" não significa que Deus reconheça esse lugar como igreja propriamente dita.

Imagine que, preocupado com a saúde das pessoas, eu abra um comércio de sucos saudáveis. Alugo um estabelecimento e fixo ali uma placa bonita, ilustrada com uma bela cesta de frutas e vegetais. Invento bebidas misturando couve, cenoura, beterraba e espinafre. Os clientes apreciam meus sucos e retornam no dia seguinte. Há apenas um problema: o número de aficionados em saúde não é suficiente para fazer meu comércio render. Então, decido servir sucos com espuma de *chantilly*, o que faz a clientela aumentar. Pouco tempo depois, começo a oferecer calda de chocolate, e as vendas crescem ainda mais. Quando adiciono guloseimas e alguns confeitos, começo uma pequena fortuna. Mesmo com essas modificações, eu ainda posso sair por aí afirmando vender bebidas a base de ingredientes saudáveis, a despeito de meus clientes se mostrarem cada vez mais obesos e sonolentos. Meu interesse em gerir um negócio lucrativo acabou sufocando minha intenção inicial de promover saúde. Em algum momento, eu deveria ter removido aquela placa onde se viam frutas e vegetais.

Essa é uma realidade bastante comum nas igrejas. Oração, ceia do Senhor, comunhão e leitura da Bíblia não são práticas que atraem multidões. Então, começamos a acrescentar coisas que façam nosso público crescer. Somos bem-sucedidos, mas não alcançamos o alvo correto. Chega uma hora em que há tantas coisas agregadas que já não podemos chamar aquele lugar de igreja.

Concordo com as duras palavras de A. W. Tozer:

> Nossa responsabilidade mais pungente hoje é fazer tudo o que estiver ao nosso alcance para experimentar um avivamento que resulte em uma igreja reformada, revitalizada e purificada. É muito mais importante contar com cristãos de boa qualidade do que com cristãos em maior quantidade.[2]

Forçando a barra

Não parece maluco usar o termo "cristão" para nomear pessoas incapazes de servir? Sei que não se pode forçar ninguém ao serviço, mas deve haver algo que possamos fazer para reverter essa inércia. Nenhum time contrata jogadores que se recusam a atuar. Nenhum exército convoca soldados negligentes. Por que, então, as igrejas continuam a amontoar gente que se nega a servir? Por que não tratamos o egoísmo como um pecado a ser confrontado? Se as Escrituras mandam que sirvamos uns aos outros, não é estranho que deixemos as pessoas a seu bel-prazer? "Deus concedeu um dom a cada um, e vocês devem usá-lo pra servir uns aos outros, fazendo bom uso da múltipla e variada graça divina" (1Pe 4.10). "Lembrem-se de que é pecado saber o que devem fazer e não fazê-lo" (Tg 4.17).

Confrontamos a imoralidade sexual porque fomos chamados a uma vida santa. O adúltero não é um bom representante de Cristo. Mas quem vai a igreja apenas para consumir um serviço também não é. Esse é um pecado a ser combatido se queremos transmitir ao mundo uma boa noção do que é o Corpo de Cristo. Pergunto: se realmente amássemos nossos irmãos e irmãs em Cristo, não os encorajaríamos ao arrependimento?

Os pastores de nossa congregação procuraram conversar com pessoas que não serviam ativamente. A conduta delas não era apenas egoísta, prejudicial à igreja ou algo que as privava de manifestar o Espírito de Deus. Era nada mais nada menos que pecado. O que nos motivou a desejar vê-las vitoriosas nesse sentido foi o imenso amor que sentíamos por elas. Às vezes, é bom aplicar uma dose de pressão.

Al e Christian são dois dos meus melhores amigos, e ambos são homens perseverantes. Ainda que esteja cansado, Al se dispõe a correr mais cinco quilômetros. Mesmo que já esteja satisfeito, Christian manda para dentro mais três sanduíches. Há algum tempo, resolvi ficar em forma. Adivinhe quem convidei para me fazer companhia... (Sim, tenho a permissão de Christian para escrever isso. Na verdade, ele me pediu apenas que informasse que o lema da vida dele está registrado em Levítico 3.16.) Pedi a Al que pegasse no meu pé e fizesse de tudo para me manter na linha. Em muitas ocasiões, Al me importunou com sua constante cobrança, gritando para que eu corresse mais rápido ou erguesse mais peso do que eu gostaria. Suando como um porco, prestes a sucumbir, eu me imaginava em um *buffet* de comida chinesa na companhia de Christian. Enquanto isso, Al continuava me pressionando, recusando-se a me deixar desistir. Foi horrível, mas nunca estive tão bem fisicamente quanto agora. Ser pressionado pode ser uma experiência bastante benéfica.

Recordo-me do dia em que Lisa e eu voltamos para casa com nossa primeira bebê, recém-saída da maternidade. Nenhum de nós sabia o que fazer, mas fomos forçados a descobrir. Não tínhamos escolha. Amávamos aquela criança e, portanto, nos recusamos a ser pais displicentes. Sete filhos depois, acredito que estamos ficando bom nisso.

Com o ministério eclesiástico não é muito diferente. Ninguém está realmente pronto para pastorear, mas, quando nos vemos nessa posição, nós nos submetemos ao desafio. Às vezes, a atitude mais amorosa que podemos ter para com aqueles a quem amamos é desafiá-los. No fim das contas, isso não se mostra algo ruim. Lembro-me de quando estava para concluir o ensino médio e meu pastor pediu que eu liderasse alguns alunos do primeiro ano. Eu nunca havia discipulado ninguém, mas estava afoito para servir do jeito que Deus desejasse. Depois de algumas semanas, Deus me encheu de amor verdadeiro por aqueles meninos e de enorme zelo pela caminhada espiritual deles. Eu estava longe de ser um líder perfeito, mas dei o meu melhor. Não sei onde estaria hoje se não tivesse sido desafiado a servir e a liderar ainda tão novo. Creio que teria perdido a chance de viver uma vida plena e abençoada.

Atualmente, contamos com cerca de quarenta pastores liderando nossas congregações em San Francisco. Todos têm outros empregos; nenhum deles é pago pela igreja. Não receberam treinamento formal para liderança. Tudo o que sabem veio de terem trabalhado com pastores mais experientes. Essas pessoas amadureceram depois de sentir o peso da responsabilidade pastoral. Hoje, são pastores incríveis e estão por aí fazendo discípulos que logo também se tornarão pastores. Amo esses irmãos e dou minha vida por eles.

Eu poderia ficar contando histórias de gente que abriu mão de parte de suas casas, carros, dinheiro, privacidade, saúde e férias para servir aos outros. Poderia citar milagres, curas e profecias relacionados às pessoas mais improváveis. É esse o resultado que obtemos quando esperamos que todo e qualquer irmão sirva com seu dom. Para mim, no entanto, a maior bênção tem sido ver como os líderes estão se desenvolvendo.

Presume-se que a igreja seja um celeiro de pastores e presbíteros. Toda congregação deveria preparar seus integrantes e enviá-los ao mundo. Infelizmente, a tendência é acontecer o oposto disso. Divulgamos anúncios em busca de pastores que se disponham a servir em nossas igrejas. Algumas delas chegam a contratar caça-talentos profissionais para encontrar um pastor. Em vez de enviar, estamos recrutando. Já se tornou algo normal.

Só é possível formar líderes quando organizamos as coisas de modo que requeiram liderança. Eu tive de aprender a limitar o uso dos meus dons a fim de abrir espaço para que outros pudessem liderar. Como consequência disso, dispomos de um exército de líderes capacitados que, a despeito de onde estiverem, estarão aptos a tocar a vida e a fazer discípulos. Esses irmãos se mostraram hábeis em plantar e multiplicar igrejas; são líderes-servos que erguem outros líderes-servos e os enviam ao mundo.

É tempo de exercer alguma pressão amorosa sobre nós mesmos e sobre os que estão à nossa volta. Essa é uma responsabilidade de todos. Somente quando nos tornarmos servos experimentaremos o Espírito Santo tal como Jesus desejou que o experimentássemos. Quando isso acontecer, a igreja de fato se parecerá com o Cristo a quem adora.

6
Bons pastores

Dentre todos os capítulos deste livro, este foi o que me fez orar mais e me despertou maior amor. É o capítulo em que coloquei toda a minha franqueza e que me levou às lágrimas. Tenho pastoreado por mais de trinta anos. É só o que sei fazer. Conheci meu chamado ainda criança, e estou certo de que permanece o mesmo ainda hoje. Quando tentei me esquivar dessa responsabilidade, Deus me puxou de volta. Amo ser pastor. Amo ajudar as pessoas a compreender Deus e se apaixonar por ele. A despeito das traições e decepções, não consigo me imaginar fazendo nada diferente. Se hoje fosse meu último dia de vida (e bem pode ser), eu não seria capaz de explicar quão plenamente vivi. Para mim, é uma honra ter sido chamado ao ministério, e ainda me surpreendo com o fato de o Senhor ter me escolhido para isso. Poucas pessoas têm a oportunidade de fazer o que amam.

Este capítulo é direcionado a pastores em tempo integral, a líderes que também têm outras vocações e a você que está lendo isso e (talvez ainda não saiba) será convocado a pastorear. Creio que muitos de vocês, leitores deste livro, sejam chamados a esse ministério, não como tradicionalmente se entende essa tarefa, mas em sentido bíblico. Escrevo estas palavras na esperança de que vocês se apaixonem por essa vocação ainda mais do que eu. Também escrevo pensando na eternidade. Nem todos ouvirão Deus dizer: "Bom trabalho!", mas quero que vocês escutem isso. Em todo o tempo, o inimigo tenta nos desviar do primeiro amor e nos tornar interessados exclusivamente em agradar às pessoas. Ao fim de sua vida, Paulo deu conselhos amorosos ao jovem Timóteo, e aqui eu busquei escrever com essa mesma intenção. Conheço muitas das armadilhas que se podem encontrar no exercício desse ministério, porque eu mesmo tropecei nelas.

Como mencionei no início do livro, procurei dar especial atenção às ocasiões em que a narrativa bíblica apresenta Deus usando uma linguagem firme. A meu ver, os líderes citados nas Escrituras foram o grupo que ouviu de Deus as palavras mais severas.

Por um lado, os discursos divinos mais ternos e honrosos se destinaram à liderança espiritual. Parece que o Senhor não somente se relacionava de maneira ímpar com os líderes, mas também os defendia. Por exemplo, ele fez que Miriã fosse acometida por lepra quando ela se atreveu a falar contra Moisés (Nm 12.1-10). Também enviou duas ursas para que destruíssem quarenta e dois jovens que haviam zombado de Eliseu (2Rs 2.23-24). João foi chamado de "discípulo a quem Jesus amava" (Jo 21.20), e Abraão ficou conhecido como "amigo de Deus" (Tg 2.23).

Em contrapartida, os líderes também foram alvo de algumas das mais graves repreensões divinas. O esforço por liderar implica advertências bastante firmes. Tiago afirmou que os ministros serão julgados com maior rigor (Tg 3.1), e o autor de Hebreus disse que eles prestarão contas acerca de seus discípulos (Hb 13.17). Jesus se referiu aos líderes religiosos de sua época como filhos do inferno (Mt 23.15). O ponto é que não devemos presumir que todo aquele que ocupa posição de autoridade espiritual o faz por merecimento.

A dificuldade em escrever este capítulo deriva da cautela que busco ter para não soar arrogante e desrespeitoso. Contudo, também tenho de levar em conta os exemplos de Jesus, Pedro e Paulo — todos eles foram firmes ao refutar falsos ensinamentos. De algum modo, precisamos imitar Davi, que agiu com cuidado e decoro diante de líderes terríveis, e nos comportar como Paulo, quando teve de repreender falsos mestres.

Quando reflito sobre a minha vida, acredito que algumas vezes fui exageradamente crítico e desrespeitoso e, outras vezes, covarde e muito político. Não tenho todas as respostas, nem acredito ter sido um líder exemplar. Deus tem sido muito paciente comigo, ensinando-me a dizer coisas difíceis em espírito de amor, sem julgamentos. E ele me lembra constantemente de que devo examinar a mim mesmo em primeiro lugar. É em mim que sempre devo começar.

Quem integra a liderança de uma igreja não pode presumir que ali é seu lugar de direito. É preciso se perguntar: "Estou certo de que deveria estar aqui? Estou em condição de liderar? Minha relação com Jesus é algo que desejo ver se reproduzir em outros irmãos?".

Quem não pastoreia outras pessoas não deve assumir que não o deve fazer. Pode ser que seu receio de falhar o esteja impedindo de fazer aquilo para o que Deus o criou e chamou. Nenhum crente é chamado a ser constantemente alimentado e a isentar-se do compromisso de liderar. Olhe à sua volta. Se você não serve de modelo para alguém, há algo de errado com a sua vida. Deus o chamou à tarefa de fazer discípulos. Ele o chamou a, de algum modo, conduzir outras pessoas.

Este capítulo não se propõe servir de ferramenta para julgar líderes. O desafio de liderar esta geração de indivíduos obstinados já é suficientemente intimidativo, e de modo nenhum quero botar mais lenha na fogueira. Este capítulo foi escrito para que avaliemos nossa própria vida. A igreja precisa de líderes piedosos. Ao contrário do que popularmente se acredita, todos somos chamados a pastorear (termo que significa tão somente "instruir"). As mulheres mais velhas devem instruir as mais novas (Tt 2.3-5). Os pais devem instruir os filhos (Ef 6.4). Timóteo foi orientado a ensinar a outros aquilo que havia aprendido (2Tm 2.2). Todos nós fomos chamados a fazer discípulos (Mt 28.19-20). Se não há ninguém a quem você sirva de mentor, isso é um problema. E redes sociais não contam. Estou falando de gente de carne e osso que se espelha em você. Isso demanda uma vida digna de ser imitada, ou seja, algo bem mais difícil que postar fotos e citar escritores famosos.

As armadilhas do ministério

Algumas das expectativas que depositamos em líderes de igreja tornam o êxito deles praticamente impossível. Eles já não priorizam aquilo a que Deus quer que se dediquem e aquilo que almejavam fazer quando começaram a servir, mas não são os únicos culpados por isso. Muitos ingressaram no ministério motivados por um profundo amor por Deus e pelas pessoas. Eram valentes e resolutos, prontos a arriscar tudo em favor do reino. Mas depararam com armadilhas que os derrubaram, fazendo que se distraíssem, fossem enganados ou desanimassem.

A armadilha da aversão a críticas. As pessoas dizem coisas bastante cruéis aos pastores. Não importa qual seja o conteúdo da pregação, sempre há gente ansiosa por criticar. A rispidez e o grande volume de críticas costuma tornar o púlpito um palco de disputa política. As pessoas se parecem menos com profetas e mais com candidatos ao poder. Demasiadamente preocupado com a reação da igreja, o líder começa a pregar de modo a evitar críticas em vez de anunciar a verdade com intrepidez.

A armadilha da arrecadação financeira. Não conheço nenhum pastor que ingressou no ministério por gostar de arrecadar fundos. Em contrapartida, tampouco conheço pastores despreocupados quanto ao orçamento da igreja ou à ampliação do templo.

A armadilha da comparação. Frequentadores de igreja costumam ouvir pregações de ministros habilidosos, ler artigos escritos por teólogos notáveis e assistir a vídeos de líderes eclesiásticos talentosos que movem multidões. Então, tanto para a liderança quanto para os outros membros, é difícil não se deixar desanimar pela comparação.

A armadilha da satisfação de expectativas. Todo domingo, as pessoas vão à igreja em busca de boa recepção, estacionamento adequado, música em volume apropriado, sermão de trinta minutos, berçário bem montado, ministério para crianças, pré-adolescentes, adolescentes, jovens, universitários, solteiros etc. Ocupados em atender a essas demandas, os líderes deixam de buscar o que Deus ordena.

A armadilha da popularidade. Cadeiras vazias são tão deprimentes quanto ver pessoas se amontoando na igreja vizinha. Pior ainda é ir a uma conferência cristã e ver pastores-celebridade sendo tratados como reis. É difícil não sentir inveja, e para aqueles que "chegaram lá" o desafio é não se tornarem orgulhosos. Trata-se de um sistema em que não há ganhador.

A armadilha da segurança. Fazemos que nossos pastores passem quarenta horas semanais em gabinetes cercados de crentes e pedimos que esses líderes nos ensinem a viver pela fé. Imagine só!

A armadilha da ganância. As pessoas hoje acham que podem tudo, e os pastores não são exceção. Quanto maior a igreja, maior o valor do contracheque. Quanto maior a venda de livros, maior a comissão. Para quem gosta de viver confortavelmente, há muitas razões para fazer a igreja crescer.

A armadilha do ataque demoníaco. A maior ameaça é o leão que ruge à procura de alguém a quem possa devorar (1Pe 5.8), e os pastores são as presas mais fáceis. Há um inimigo fazendo de tudo para levar você a pecar de uma forma que manche a reputação da igreja.

Você pode alegar que os pastores devem ser fortes o suficiente para evitar essas armadilhas ou que as pessoas devem parar de prepará-las. A despeito de quem seja a culpa, o fato é que líderes se distraem e desanimam. Podemos de fato esperar que, nessas condições, sejam produzidos discípulos cheios do Espírito? Será que não estamos, inadvertidamente, destinando homens e mulheres piedosos ao fracasso?

Os tempos mudaram

Quando iniciei a Cornerstone, em 1994, as coisas eram muito diferentes do que são hoje. As pessoas eram mais respeitosas com pastores e autoridades em geral. Não havia redes sociais. Pouca gente tinha telefone celular! (Sim, sou antigo.) Se alguém quisesse me incentivar ou criticar, teria de falar comigo pessoalmente. Mas os tempos mudaram.

Lembro-me de quando as redes sociais começaram a se espalhar pelo mundo. De uma hora para outra, ficou fácil (e cada vez mais fácil) inflar meu ego ou queixar-se de mim publicamente. Houve ocasiões em que eu mal coube em mim por causa de tantos elogios. Outras vezes, lutei para não me deixar magoar ou irar diante de comentários grosseiros. Com o tempo, aprendi a dar menos atenção a essas coisas, mas no início foi bem penoso.

Agradeça se nunca teve de lidar com um mar de gente

ávida por manifestar opinião a seu respeito. Entre as pessoas que conheço, pouquíssimas navegaram por essas águas e permaneceram humildes, amáveis e, ao mesmo tempo, corajosas. Grandes multidões exercem um efeito esquisito em nós. Podemos inconscientemente começar a pregar com o objetivo de fugir das críticas em vez de ensinar a verdade a despeito das reações alheias. Hoje, todos estão muito à flor da pele. Basta uma só palavra errada dita em público para que se inicie um verdadeiro massacre.

E os pastores terão cada vez mais dificuldade para falar com ousadia e humildade diante de grandes ajuntamentos. Talvez seja essa a razão de a cada dia vermos menos pastores valentes e humildes. Fui profundamente afetado por um pastor da China que me disse: "Nos Estados Unidos, os pastores creem que devem se tornar famosos para causar grande impacto. Na China, quanto mais influente, mais discreto um líder deve ser". Meu coração saltou quando ouvi isso, sonhando com a oportunidade de exercer maior influência e, ao mesmo tempo, manter o anonimato. A impressão que tenho é que o modo como temos feito as coisas nos prepara para o fracasso. Quem procura impactar o reino de maneira contundente parece estar sempre lutando contra o orgulho. É assim que o inimigo age para impedir que sejamos eficazes.

A Bíblia recomenda aos cristãos: "Lembrem-se de seus líderes que lhes ensinaram a palavra de Deus. Pensem em todo o bem que resultou da vida deles e sigam seu exemplo de fé" (Hb 13.7). Se você é um líder, quero desafiá-lo a examinar sua vida e a confirmar, com a consciência tranquila, se pode mesmo dizer às pessoas que o sigam assim como você segue a Cristo. Caso ainda não exerça essa função, insisto que, à medida que lê sobre as qualidades essenciais à boa liderança segundo a

Bíblia, você examine seus líderes com um espírito de graça e humildade a fim de discernir se deseja de fato imitar a fé e o estilo de vida de cada um deles. Deus pode estar chamando você à liderança; por isso, eu imploro que se dedique a crescer nos aspectos de que tratarei a seguir.

O pastor cristão

Esse título pode soar ridículo, mas será que podemos mesmo presumir que todos os pastores são cristãos? O fato de alegarmos crer em Jesus ou de termos estudado sobre o ministério pastoral não garante que nosso coração pertence ao Senhor. Passei dois anos em um instituto bíblico e outros três em um seminário, e posso afirmar que um diploma pode comprovar inteligência ou disciplina, mas não espiritualidade. Sem dúvida, esses foram os piores cinco anos da minha vida. Lembre-se de que, já nos tempos de Jesus, alguns líderes religiosos eram bem perversos. As Escrituras estão sempre nos advertindo a vigiar contra falsos mestres.

> Contudo, assim como surgiram falsos profetas entre o povo de Israel, também surgirão falsos mestres entre vocês. Eles ensinarão astutamente heresias destrutivas e até negarão o Mestre que os resgatou, trazendo sobre si mesmos destruição repentina. Muitos seguirão a imoralidade vergonhosa desses mestres, e por causa deles o caminho da verdade será difamado. Em sua ganância, inventarão mentiras astutas para explorar vocês.
>
> 2Pedro 2.1-3

Neste mundo sempre haverá falsos mestres. Jesus alertou que lobos virão disfarçados de ovelha (Mt 7.15). Acaso há disfarce melhor que o de ministro do evangelho? Alguns ensinarão falsas doutrinas motivados pelo desejo de aceitação, enquanto outros pregarão a verdade ainda que vivam na mentira. Quer a falsidade esteja na mensagem, quer esteja no estilo de vida, ambos os casos são condenáveis. Ao continuar a leitura de 2Pedro 2, você descobrirá que a essas pessoas está reservado um terrível julgamento. Se você está lendo isto e vive de maneira imoral, é hora de abandonar o ministério, pois não há nada pior que ser um falso mestre. A maior abominação que você pode cometer na vida é conduzir pessoas para longe do Criador.

Oro para que os leitores deste capítulo realmente dediquem tempo para avaliar a própria vida. Como Paulo orientou: "Examinem a si mesmos. Verifiquem se estão praticando o que afirmam crer" (2Co 13.5). Você está seguro de ter avaliado o preço e decidido seguir Jesus? Seus pastores dão clara evidência de terem abandonado tudo para seguir o Mestre?

O pastor que ora

Certa vez, pedi aos irmãos de minha equipe que me informassem caso não estivessem orando no mínimo uma hora por dia; assim, eu poderia substituí-los por gente que o fizesse. Eu preferiria contratar alguém que ora e não faz mais nada a ter por perto alguém que trabalha incansavelmente sem orar. Isso pode soar duro, mas a oração é essencial. Não se trata apenas de uma tarefa inerente ao ministério; é um sinalizador que expõe a condição do nosso coração. A oração descortina nosso orgulho, revelando-nos se de fato acreditamos que longe de Deus não temos poder nenhum. Ela expressa nossa rendição a Deus e nossa confiança em sua infinita sabedoria e soberania. Nem mesmo Jesus agiu por conta própria quando Pedro, seu discípulo, foi atacado por Satanás:

> Então o Senhor disse: "Simão, Simão, Satanás pediu para peneirar cada um de vocês como trigo. Contudo, supliquei em oração por você, Simão, para que sua fé não vacile. Portanto, quando tiver se arrependido e voltado para mim, fortaleça seus irmãos".
>
> Lucas 22.31-32

Se havia alguém que poderia auxiliar Pedro com bons conselhos e ensinamentos, esse alguém era o poderoso Jesus — que, entretanto, resolveu orar. Pense nisso por um instante.

A oração é a marca de quem ama. Aqueles que amam profundamente Jesus não conseguem deixar de orar em todo o tempo. Amar a Deus com todo o nosso ser é o maior mandamento registrado nas Escrituras. Pastores que não se recolhem para orar não deveriam ser pastores. É na oração que buscamos o Senhor e o bem-estar de nosso povo.

Tenho me reunido com os presbíteros para orarmos a passagem de Efésios 3.14-19, pedindo a Deus que os irmãos de nossa igreja amem Jesus tanto quanto nós.

Um pastor indiano me disse certa vez que, ao pesquisar movimentos eclesiásticos, havia notado um aspecto em comum: os movimentos de Deus sempre começam com um líder que conhece o Senhor profundamente e sempre terminam quando a única pessoa a quem a igreja conhece profundamente é o líder. Pastores, nós precisamos conhecer Deus a fundo e fazer discípulos que sigam a Cristo em primeiro lugar.

O pastor humilde

Um outro pastor da Índia me transmitiu alguns conselhos simples e poderosos que espero nunca perder de vista. Seu ministério conduziu mais de três milhões de pessoas a Jesus, e todos esses irmãos têm sido discipulados. Quando lhe perguntei como faz para organizar esse enorme exército, a resposta foi: "Os norte-americanos sempre querem saber de estratégias. O que tenho a dizer é o seguinte: nossos líderes são as pessoas mais humildes que conheço, e eles conhecem Jesus de verdade". Então, o pastor relatou que os maiores erros que cometera haviam acontecido quando a liderança teve permissão para abrir mão da humildade. Ele se sentia empolgado em fazer aqueles líderes manifestarem seus dons, mas, no fim das contas, a liberdade excessiva os destruía. Segundo esse pastor, não há nada de que ele se arrependa mais. Hoje, o principal critério que ele usa para identificar um bom líder é a humildade; com isso, os problemas que enfrentava com a liderança diminuíram significativamente.

Ainda que aleguemos o contrário, com frequência nos assemelhamos ao mundo quando o assunto é encontrar líderes. Atentamos para as aparências, à procura de ótimos preletores e líderes habilidosos. Deus sempre privilegiou a pessoa humilde que o busca com todo o fervor. Ao que parece, muitos pastores começaram como humildes guerreiros de oração, mas deixaram que as expectativas alheias subjugassem suas prioridades. Outros manifestaram pretensa humildade, mas a única coisa que os incitou a avançar no ministério foi seu próprio carisma.

> O que vocês acham que as Escrituras querem dizer quando afirmam que o espírito colocado por Deus em nós tem ciúmes? Contudo, ele generosamente nos concede graça. Como dizem as Escrituras: "Deus se opõe aos orgulhosos, mas concede graça aos humildes". Portanto, submetam-se a Deus. Resistam ao diabo, e ele fugirá de vocês. Aproximem-se de Deus, e ele se aproximará

de vocês. Lavem as mãos, pecadores; purifiquem o coração, vocês que têm a mente dividida. Que haja lágrimas, lamentação e profundo pesar. Que haja choro em vez de riso, e tristeza em vez de alegria. Humilhem-se diante do Senhor, e ele os exaltará.

Tiago 4.5-10

Não há nada pior que a oposição a Deus. Tiago deixa bem claro: "Deus se opõe aos orgulhosos" (v. 6). Se Deus se opõe a um líder de igreja, qual é o grau de eficiência dessa congregação? Em contrapartida, Deus prometeu achegar-se e mostrar graça àquele que se achega a ele.

Algo que sempre me questiono é: "Este sermão atrairá a atenção da igreja para Cristo ou para mim?". Muitos de nós temos como padrão a busca por preservação e engrandecimento próprios. Inseguros, preocupamo-nos com o que vão pensar de nós em vez de desejar que não tenham pensamento nenhum a nosso respeito. Tenho lutado contra isso durante toda a vida. É horrível.

Referindo-se à humanidade como um todo, Jesus disse não haver ninguém maior que João Batista (Mt 11.11). João era grande aos olhos divinos porque não pretendia ser grande aos olhos humanos. Acerca de Jesus, afirmou: "Ele deve se tornar cada vez maior, e eu, cada vez menor" (Jo 3.30).

O pastor amoroso

De novo, parece que temos uma redundância. Por que outra razão alguém exerceria esse ministério se não pelo amor? Acaso há algum pastor que não ame genuinamente seu rebanho?

A experiência me mostrou que é bem possível "exercer o ministério" sem amar as pessoas. Em nossa sociedade, o amor não é requisito para se tornar um pastor "bem-sucedido". Recordo-me de vários períodos de minha vida em que me ocupei cuidando de pessoas mesmo desprovido de qualquer sentimento amoroso por elas. É bem mais fácil ver as pessoas como projetos a serem ajustados do que tratá-las como filhos profundamente amados.

Sou apaixonado pelo exemplo de Paulo. Leia isto com atenção:

> Como bem sabem, nunca tentamos conquistá-los com bajulação, e Deus é nossa testemunha de que não agimos motivados pela ganância. Quanto ao reconhecimento humano, nunca o buscamos de vocês, nem de nenhum outro. Ainda que, como apóstolos de Cristo, tivéssemos o direito de fazer certas exigências, agimos como crianças entre vocês. Ou melhor, fomos como a mãe que alimenta os filhos e deles cuida. Nós os amamos tanto que compartilhamos com vocês não apenas as boas-novas de Deus, mas também nossa própria vida. Não se lembram, irmãos, de como trabalhamos arduamente entre vocês? Noite e dia nos esforçamos para obter sustento, a fim de não sermos um peso para ninguém enquanto lhes anunciávamos as boas-novas de Deus. Vocês mesmos são nossas testemunhas, e Deus também é, de que fomos dedicados, honestos e irrepreensíveis com todos vocês, os que creem. E sabem que tratamos a cada um como um pai trata seus filhos. Aconselhamos, incentivamos e insistimos para que vivam de modo que Deus considere digno, pois ele os chamou para terem parte em seu reino e em sua glória.
>
> 1Tessalonicenses 2.5-12

Ao comentar o período que passou com a igreja de Tessalônica, Paulo afirmou ter agido "como a mãe que alimenta os filhos e deles cuida" (v. 7). Imagine como deve ser formidável contar com um pastor que cuida de você dessa maneira! Paulo também diz ter exortado aqueles irmãos "como um pai trata seus filhos" (v. 11). Ele não apenas lhes dedicou a ternura de uma mãe como também os exortou com a firmeza de um pai. Há muitos pastores desejando se tornar grandes escritores, palestrantes e líderes, mas há bem poucos conhecidos por agir como bons pais e mães. Quem serve bem como pai e mãe não alcança fama porque essa conduta não é nem um pouco valorizada. Você nunca será homenageado com pompa e circunstância por cuidar humildemente de um grupo de pessoas.

Se de fato um de nossos principais objetivos para a igreja é vê-la manifestar a perfeita unidade pela qual Jesus orou em João 17, então devemos começar com líderes que amam seu povo. Contudo, devemos ser como pais e mães, não como babás. Há uma enorme diferença aqui. Todos sabem do compromisso colossal que é ter filhos: é preciso abrir mão de nossa liberdade, privacidade e tempo. Mas vale muito a pena.

O pastor que capacita

Parte da minha responsabilidade como bom pai é garantir que meus filhos sejam criados de maneira que se tornem capazes de sair de casa e viver por conta própria. Tenho pouco tempo para prepará-los para o mundo lá fora. Minha tarefa é treiná-los a serem autônomos em vez de dependerem de mim. Essa também deveria ser a meta de todo pastor. Se não tomarmos cuidado, acabaremos cercados de pessoas que ocupam os assentos da igreja há anos e reclamam por não receber o que desejam. Isso é tão disfuncional quanto uma criança de três anos que se queixa da comida que a mãe faz. O bom pastor tem como objetivo erguer outros bons pastores.

> [Deus] designou alguns para apóstolos, outros para profetas, outros para evangelistas, outros para pastores e mestres. Eles são responsáveis por preparar o povo santo para realizar sua obra e edificar o corpo de Cristo, até que todos alcancemos a unidade que a fé e o conhecimento do Filho de Deus produzem e amadureçamos, chegando à completa medida da estatura de Cristo. Então não seremos mais imaturos como crianças, nem levados de um lado para outro, empurrados por qualquer vento de novos ensinamentos, e também não seremos influenciados quando nos tentarem enganar com mentiras astutas.
>
> Efésios 4.11-14

Um dos aspectos que mais enfraquece a igreja é a falta de maturidade de seus membros. As congregações estão cheias de bebês que nunca crescem a fim de, então, gerar os próprios filhos. E não há ninguém que anseie por essa evolução. Em vez de treinar os crentes para sair ao mundo e pastorear outras pessoas, muitos pastores esperam que eles fiquem ali sentados, até a morte, à sombra de seus ensinamentos. Paulo foi claro ao dizer que o papel dos líderes de igreja é capacitar os santos para a obra. Hugh Halter vê um problema em que nós mesmos nos colocamos: "Muitos líderes estão sempre obstinados com o trabalho eclesiástico porque são pagos por cristãos consumistas que não se dão conta da grandeza de seu próprio chamado".[1]

O que seria de nossa sociedade se os pais não tivessem a expectativa de que seus filhos formassem as próprias famílias? É justamente essa a condição da igreja. Esperamos muito pouco de pessoas que, ao que se supõe, são cheias do Espírito Santo. É hora de os pais espirituais (ou seja, os pastores) voltarem a acreditar em seus filhos. Em vez de fazer tudo pelos membros de sua igreja, é preciso treiná-los para uma vida de serviço. Sempre haverá quem se rebele contra essa proposição, e esse foi o motivo de Paulo ter orientado Timóteo a focar as "pessoas de confiança" que sairiam para ensinar às outras (2Tm 2.2).

A intenção pela qual exerço o pastorado mudou muito. Foi-se o tempo em que eu me contentava com um punhado de gente cantando alto, esquivando-se do divórcio e contribuindo financeiramente com missões. Meu objetivo agora é saber que, independentemente de onde estiverem, os membros de minha igreja crescerão em Cristo, farão discípulos e plantarão igrejas. Minha fé no poder do Espírito Santo me convence de que isso é possível. Está em nosso DNA: todos recebemos espírito de coragem e poder para fazer mais do que conseguimos imaginar. Devemos treinar nosso povo para ser autonomamente dependente do Espírito do Senhor.

Embora muitos pastores se orgulhem da quantidade de discípulos que têm sob seus cuidados, não seria mais sensato gabar-se do número de pessoas que progrediram em razão desses cuidados? Filhos incapazes de viver por conta própria acaso não é sinal de que os pais fracassaram? A habilidade de reunir milhares de consumidores não é indício de sucesso nenhum.

O pastor cheio do Espírito

Ao ouvir a expressão "cheio do Espírito", o que você imagina? Quem você imagina?

Já comentei que todos temos melhor noção de como se parece um indivíduo possuído por demônio do que alguém movido pelo Espírito Santo. Dizendo de outro modo, todos sabemos que há uma enorme diferença entre ser endemoninhado e não ser endemoninhado. Não deveríamos identificar também uma expressiva diferença entre o cristão cheio do Espírito e aquela pessoa que é gente boa mas não conhece a Cristo? Não se pode confundir conhecimento teológico ou carisma com plenitude do Espírito. Seu pastor é cheio do Espírito Santo? E você, é?

Esqueça a ideia que você tem acerca do que é ser cheio do Espírito. Eis a descrição segundo o apóstolo Paulo:

> Não se embriaguem com vinho, pois ele os levará ao descontrole. Em vez disso, sejam cheios do Espírito, cantando salmos, hinos e cânticos espirituais entre si e louvando o Senhor de coração com música. Por tudo deem graças a Deus, o Pai, em nome de nosso Senhor Jesus Cristo. Sujeitem-se uns aos outros por temor a Cristo.
>
> Efésios 5.18-21

A comparação feita por Paulo remete à condição de embriaguez. Todos podemos imaginar uma pessoa bêbada, sobretudo o modo incomum como fala e se movimenta. Quando o corpo de alguém está cheio de álcool, tudo é afetado. Igualmente, quando somos cheios do Espírito, tudo o que fazemos é influenciado por ele. Abrimos a boca e Deus se manifesta porque estamos cheios dele. É por isso que cristãos tomados pelo Espírito estão sempre "cantando salmos, hinos e cânticos espirituais entre si" (v. 19). Quando falam, de seus lábios saem louvores ao Senhor porque é isso o que os preenche. Pessoas cheias do Espírito cantam e entoam melodias continuamente em seu coração porque é isso o que o Espírito deseja fazer. Elas dão "graças a Deus" por tudo (v. 20) porque a bênção da presença do Espírito as torna gratas. Elas se submetem umas as outras "por temor a Cristo" (v. 21) porque são humildes e respeitam a liderança estabelecida por Deus. Todos os relacionamentos em que estão envolvidas são afetados pelo Espírito do Senhor.

Muitos de nós conhecemos o texto de Gálatas 5.22-23, que

descreve o fruto do Espírito. É fácil ler essa passagem e dizer: "Sim, sou bastante amoroso, alegre, pacífico etc. Acho que manifesto o fruto do Espírito". Mas se o amor que expressamos resulta da obra do Espírito Santo, não deveria ser algo extraordinário, indizivelmente diferente? Não sejamos apressados em atribuir ao Espírito algo que as pessoas podem produzir pela própria carne.

Todos desejamos ser guiados por um pastor genuinamente cheio do Espírito, alguém dotado de poder, ousadia e caráter sobrenaturais, não é? Tenho orado por esse milagre. Tenho dito ao Senhor que não quero ser apenas bom. Quero a bondade que só o Espírito Santo pode produzir. De que outra forma atrairemos o mundo? Quero a paz que excede todo entendimento e deixa as pessoas constrangidas. Se nós, pastores, não expressamos essas virtudes em proporções sobrenaturais, o que podemos esperar de nossas igrejas?

O pastor missionário

Jesus ordenou que alcançássemos os confins da terra e que fizéssemos isso para a glória dele, para a nossa salvação e para o nosso bem-estar. Fomos criados com um propósito e encontramos realização quando nos mantemos focados nessa missão. Os pastores devem atentar para a urgência em ajudar aqueles que sofrem. Devemos ter em mente os bilhões de pessoas que nunca ouviram o evangelho. Não podemos tão somente buscar meios criativos de anunciar as boas-novas àqueles que já as rejeitaram uma dúzia de vezes.

O apóstolo Tiago escreveu: "A religião pura e verdadeira aos olhos de Deus, o Pai, é esta: cuidar dos órfãos e das viúvas em suas dificuldades e não se deixar corromper pelo mundo"

(Tg 1.27). O coração de Deus abriga o desejo de ser Pai dos órfãos (Sl 68.5). A compaixão pelas pessoas que sofrem é um sentimento natural para todos aqueles em quem habita o Espírito do Senhor. Quando deixam de olhar para mães cujos filhos morrem de fome, os pastores acabam se concentrando em coisas irrelevantes e bem esquisitas. Somos capazes de reclamar de uma coisa ou outra, esquecendo-nos de que irmãs e irmãos nossos estão sendo cruelmente torturados em prisões. Quando desconsideramos a existência do inferno, tendemos à discussão e à divisão por causa de assuntos banais.

Todo pastor já pregou acerca da Grande Comissão (Mt 28.16-20). Mas quantos de nós damos o exemplo e levamos a sério o compromisso com essa ordenança de Jesus? Precisamos orar e agir com o intuito de nos tornarmos uma geração de líderes cujo coração se move pelos perdidos e pelos que sofrem. Não é nenhum segredo o fato de os templos estarem cheios de gente autocentrada interessada apenas em consumir. Nossa reação não deve se restringir a orientar essas pessoas a abandonar o egoísmo. Nós, pastores, precisamos envolvê-las na atenção aos perdidos e necessitados.

O pastor sofredor

Teremos todo um capítulo para discutir a necessidade de sermos servos sofredores. Assim, quero dizer algo especificamente aos líderes: a igreja carece de mais que meros discursos. As pessoas precisam ver no líder o exemplo de alguém que se alegra em meio às tribulações. Quando enfrentar tempos difíceis, reserve tempo para avaliar suas palavras e ações. Ao observar e ouvir você, seus discípulos testemunham a paciência e a perseverança de Cristo?

Somos ligeiros em desanimar e desistir porque não aprendemos a nos contentar no sofrimento. Mostre-me um líder que se regozija em meio à dor, e eu lhe mostrarei alguém cujo ministério se estenderá por um longo tempo. Quando pastores que se alegram na dor produzem discípulos, o resultado é uma igreja indestrutível.

Líderes improváveis

É possível que, ao ler este capítulo, você tenha pensado: "Meu pastor não atende a esses requisitos". Isso pode mesmo acontecer e, em alguns casos, o melhor a fazer talvez seja afastar-se desse pastor. Porém, essa é uma decisão extremamente séria que só deve ser tomada sob muita oração, com muita humildade e discernimento bíblico.

Mas a minha intenção aqui não é esta. Minha esperança é que cada leitor busque amadurecer e alcançar esse padrão de líder piedoso. Pode parecer assustador imaginar-se na condição de um pastor sofredor, missionário, cheio do Espírito, que capacita os outros, ama, serve em humildade e ora. Mas lembre-se de que isso é o que o Espírito Santo de Deus anseia fazer em você. Não olhe para essa lista com os olhos da carne. Para quem desconsidera o poder do Espírito, ela é claramente absurda. Mas para nós, cristãos cheios do Espírito de Deus, é tudo o que queremos. Não lute contra aquilo que o Espírito Santo pode estar tentando fazer em sua vida.

A história registra ocasiões em que pastores se corromperam. Deus os confrontou severamente no Antigo Testamento (Ez 34), e Jesus fez o mesmo com os líderes religiosos de sua época. A solução dada por Jesus foi dispensar os profissionais e treinar um grupo de pessoas comuns e incultas que transformaria o mundo. Essas pessoas eram gente como você e eu.

Deus detesta quando subestimamos o potencial que ele mesmo nos deu. As pessoas dizem tomar as palavras do Senhor em sentido literal, mas ele sempre privilegia a fé. Efésios 3.20 deveria ser um versículo que resumisse nossa vida, não uma frase de efeito que pintamos em um muro. A igreja necessita urgentemente ser lavada por uma onda de líderes piedosos. Por isso, minha oração é que os pastores sejam renovados — ou substituídos, se for o caso. Que o Senhor continue a levantar um exército de bons pastores, que o amem acima de qualquer coisa e vivam para fazer a igreja se tornar tudo o que Deus quer que ela seja.

7
Crucificado

O apóstolo Paulo escreveu: "Fui crucificado com Cristo; assim, já não sou eu quem vive, mas Cristo vive em mim. Portanto, vivo neste corpo terreno pela fé no Filho de Deus, que me amou e se entregou por mim" (Gl 2.20).

Os participantes do Ironman, o maior circuito de triatlo do mundo, nadam cerca de 3,8 quilômetros, percorrem 180 quilômetros de bicicleta e correm mais 42 quilômetros.[1] Se eu convidasse vocês, leitores, a assistir à prova comigo, muitos pensariam na ideia. Se eu os chamasse para disputá-la comigo, esse número diminuiria consideravelmente. Milhões de pessoas se autodenominam cristãs por acreditar que ser cristão é admirar o exemplo de Cristo; elas não se dão conta de que se trata de um chamado para seguir esse exemplo. Se de fato entendessem assim, o número de cristãos seria drasticamente menor. O Novo Testamento não poderia ser mais direto: não devemos apenas acreditar que Cristo foi crucificado; devemos nos deixar crucificar com ele.

Se você ouvisse apenas a voz de Jesus e lesse somente as palavras pronunciadas por ele, teria uma noção muito clara do que ele requer de seus seguidores. Se você desse atenção apenas a preletores e escritores modernos, teria uma ideia muito diferente do que significa seguir Jesus. Pode haver catástrofe maior que essa?

Milhões de homens e mulheres foram ensinados que é possível se tornar cristão sem oferecer nada em troca e acreditaram nisso! Existe até quem tenha a audácia de ensinar que, para ter uma vida melhor, basta orar e convidar Jesus a entrar no coração. Jesus ensinou exatamente o oposto!

Leia devagar e atentamente as seguintes palavras de Jesus. Elas são *muito* mais importantes que qualquer um dos meus próximos parágrafos. Tire suas próprias conclusões acerca desta passagem:

> Uma grande multidão seguia Jesus, que se voltou para ela e disse: "Se alguém que me segue amar pai e mãe, esposa e filhos, irmãos e irmãs, e até mesmo a própria vida, mais que a mim, não pode ser meu discípulo. E, se não tomar sua cruz e me seguir, não pode ser meu discípulo. Quem começa a construir uma torre sem antes calcular o custo e ver se possui dinheiro suficiente para terminá-la? Pois, se completar apenas os alicerces e ficar sem dinheiro, todos rirão dele, dizendo: 'Esse aí começou a construir, mas não conseguiu terminar!'. Ou que rei iria à guerra sem antes avaliar se seu exército de dez mil poderia derrotar os vinte mil que vêm contra ele? E, se concluir que não, o rei enviará uma delegação para negociar um acordo de paz enquanto o inimigo está longe. Da mesma forma, ninguém pode se tornar meu discípulo sem abrir mão de tudo que possui".
>
> Lucas 14.25-33

Esqueça tudo o que já ouviu sobre orar e pedir a Jesus que seja seu Salvador pessoal. Leia o mandamento dele e pergunte a si mesmo se ainda deseja segui-lo.

Quando Jesus apresentou esse chamado, ninguém cometeu nenhum erro de interpretação, e foi por isso que ele teve tão poucos discípulos. A convocação para seguir Jesus é uma convocação para a morte. O preço estava estampado bem na frente de todos, em números bem grandes. Jesus o deixou bem evidente desde o início e disse às pessoas que elas deveriam avaliar o custo antes de se lançarem em um compromisso para o qual não estivessem preparadas. Hoje, só queremos falar da parte boa: graça e bênçãos. Claro que graça, perdão e misericórdia são elementos centrais do evangelho, mas Jesus foi muito sincero e objetivo quanto ao preço a ser pago, e esse é um conceito que negligenciamos totalmente.

A verdade é que perdemos de vista a essência do que significa ser cristão. Tornar-se seguidor de Jesus implica completa rendição de nossos anseios e apetites ao propósito maior de servir para a glória de Deus. Significa morrer para nós mesmos e viver para Cristo. É esse o compromisso que cabe a você.

> Depois, chamou a multidão e os discípulos e disse: "Se alguém quer ser meu seguidor, negue a si mesmo, tome sua cruz e siga-me. Se tentar se apegar à sua vida, a perderá. Mas, se abrir mão de sua vida por minha causa e por causa das boas-novas, a salvará. Que vantagem há em ganhar o mundo inteiro, mas perder a vida? E o que daria o homem em troca de sua vida?".
>
> Marcos 8.34-37

De acordo com Jesus, longe de não haver custo nenhum, segui-lo custará tudo o que você tem. Muito diferente de prometer uma vida melhor, ele advertiu que haverá intenso sofrimento.

> Então vocês serão presos, perseguidos e mortos. Por minha causa, serão odiados em todo o mundo. Muitos se afastarão de mim, e trairão e odiarão uns aos outros. Falsos profetas surgirão em grande número e enganarão muitos. O pecado aumentará e o amor de muitos esfriará, mas quem se mantiver firme até o fim será salvo.
>
> Mateus 24.9-13

Jesus alertou que falsos mestres enganariam muitos (v. 11). Por isso, é imperativo que todos estudemos as palavras dele diligentemente. Se esses versículos soam estranhos a você ou contrariam o que lhe ensinaram, encontre outros mestres! Corra de qualquer mentor que prometa riqueza e prosperidade a serem desfrutadas nesta terra. O chamado para seguir a Cristo é um chamado para suportar a dor com alegria nesta vida com a promessa de bênção eterna na vida que está por vir.

> Felizes são vocês quando os odiarem e os excluírem, quando zombarem de vocês e os caluniarem como se fossem maus porque seguem o Filho do Homem. Quando isso acontecer, alegrem-se e exultem, porque uma grande recompensa os espera no céu. E lembrem-se de que os antepassados deles trataram os profetas da mesma forma. [...] Que aflição espera vocês que são elogiados por todos, pois os antepassados deles também elogiaram falsos profetas!
>
> Lucas 6.22-23,26

Quando o sofrimento é anormal

A igreja, sobretudo a norte-americana, quase nunca fala em provações. Para mim isso é uma ironia, porque esse assunto permeia todo o Novo Testamento. Certa vez, preparei um sermão no qual esmiucei todos os livros do Novo Testamento e li cada verso sobre sofrimento, a fim de mostrar que este não é um tema abordado somente em *um* livro. Não aparece em *um* versículo apenas. Está em *todo lugar*. Trata-se de uma das doutrinas mais evidentes. Vez após vez, o texto afirma que, como discípulos de Cristo, enfrentaremos provações por causa dele; seremos odiados e rejeitados. Quando prego sobre sofrimento, as pessoas reagem como se tivessem recebido algum tipo de ensinamento novo ou esquisito, o que é uma loucura se considerarmos a proeminência desse tema na Bíblia. Mas nós simplesmente não tocamos no assunto.

O fato é que esse é um tópico de enorme relevância no Novo Testamento e um conceito totalmente ignorado em nossas igrejas. Temos aqui um enorme problema. Quanto mais estudo os evangelhos, mais sou convencido de que temos uma visão distorcida do que significa ser cristão. Esse é o motivo de nossas igrejas estarem como estão. Enxergar o cristianismo de maneira distorcida só tem um resultado: uma igreja distorcida. Que tal recomeçar do zero? Que tal demolir o que hoje chamamos de "igreja" e começar de novo como verdadeiros cristãos?

Um membro de uma igreja doméstica no Irã (que não pode ser nomeado por razões óbvias) explicou que as pessoas interessadas em participar de uma comunidade cristã devem assinar um contrato concordando em perder suas propriedades, ser lançadas na prisão e ser martirizadas por causa de sua fé. No Irã, muitos cristãos são detidos e, então, executados ou mantidos presos durante anos. O termo "comunhão" ganha um sentido bem diferente quando a igreja é composta de pessoas que têm uma compreensão bíblica acerca do cristianismo. Curiosamente, algumas pesquisas revelam que o Irã é o país onde o número de evangélicos cresce mais rápido.[2]

Quando um amigo meu voltou de uma visita a uma igreja no Iraque, eu lhe perguntei qual era a maior diferença entre a nossa igreja e a que ele visitara. Ele disse: "Aquilo que chamamos de 'santificação' eles denominam 'pré-requisito'". Em outras palavras, agimos como se a rendição a Deus fosse um processo de longo prazo no qual lentamente decidimos se vamos ou não entregar algo ao Senhor. Em contrapartida, os irmãos iraquianos ensinam o que Jesus ensinou: pagar o preço e render tudo a Deus logo de início. Para eles, não há outra maneira de participar da igreja.

Há alguns anos, estive na China e fui a uma reunião em uma igreja clandestina; ali, pedi que me falassem sobre perseguição. Uma de cada vez, as pessoas começaram a relatar como conseguiram sobreviver. Segundo elas, às vezes, diante da aproximação de oficiais do governo, tiveram de se esconder entre muros e, em alguns casos, até escapar de tiros. O que eu gostaria mesmo é que você ouvisse o modo como contavam isso: todas sorrindo, como se estivessem em uma festa! Era completamente insano para mim ouvi-las rir do fato de terem sido alvo de tiros. Aquilo não as intimidou porque era justamente o que esperavam.

Em suas orações, aqueles irmãos clamavam a Deus que os levasse aos lugares mais perigosos. "Quero sofrer por ti. Não quero ir para um lugar seguro. Por favor, não! Quero ser *digno* de morrer por teu nome." Era desse modo que oravam. Imagine-se liderando um grupo desses. Como alguém poderia deter gente assim? Isso é o que se espera da igreja — que seja uma força irrefreável, pronta para aguentar o tranco e persistir no combate.

Recordo-me de, depois disso, ter conversado com o líder de uma rede de congregações na China. Nas palavras dele, houve uma época em que a liberdade religiosa evoluiu um pouco ali e, então, ele resolveu fazer um teste: construiu uma igreja "normal", não escondida, só para ver no que ia dar. A congregação chegou a reunir em torno de duas mil pessoas; foi quando o governo interditou o local e expulsou os pastores. Aquele homem me revelou ter ficado muito grato pelo ocorrido, pois o episódio restabelecera o DNA da igreja, que se havia perdido quando foram para o novo prédio. Com os grandes cultos, as pessoas começaram a buscar apenas os sermões. Como elas se acostumaram a tão somente sentar e ouvir, tornou-se difícil para os pastores incitá-las à ação. Então, foi como se Deus tivesse usado o ato do governo para que a igreja ficasse ainda mais forte que antes!

Mais tarde, aquele irmão me explicou que as reuniões em igrejas domésticas se fundamentam em cinco pilares. Ele começou a listar um por um e, inicialmente, acompanhei seu raciocínio. O primeiro pilar era o profundo compromisso com a oração. O segundo, o compromisso com a Palavra de Deus; não era algo que tinha a ver com o preletor, mas com a leitura e o aprendizado da Palavra de Deus partilhados por todos. O terceiro era o compromisso com a propagação do evangelho, uma prática seguida por toda a igreja. Senti que essas três bases estavam muito alinhadas com o que buscávamos fazer em San Francisco. O quarto pilar era a constante expectativa por milagres. Dada sua vida de oração e sua crença no Espírito Santo, tais pessoas esperavam pelo sobrenatural. Nós, norte-americanos, ainda estávamos começando a entender e a desejar isso.

Porém, quando o pastor me apresentou o último pilar, fui pego de surpresa: "O quinto pilar é a prática de acolher o sofrimento para a glória de Cristo". Uau! Ele me contou qual era o esteio da igreja: *acolher* o sofrimento. Fiquei atônito, porque nunca havia pensado naquilo. Mas, quanto mais passei a refletir, mais convencido fiquei de que eles estavam mesmo certos, pois toda a Bíblia trata dessa questão. Aqueles homens e mulheres incluíam o sofrimento no plano da igreja — tal como o Novo Testamento nos exorta a fazer — e colhiam os resultados! Quando aquela congregação se mantinha fiel a seu verdadeiro DNA, o resultado era um grupo de pessoas fervorosas por Jesus, dispostas a ir a qualquer lugar e fazer o que fosse preciso, independentemente do custo.

O que lemos no livro de Atos acerca da realidade da igreja primitiva é:

> [Os membros do Sinédrio] chamaram os apóstolos e mandaram açoitá-los. Depois, ordenaram que nunca mais falassem em nome de Jesus e, por fim, os soltaram. Quando os apóstolos saíram da reunião do conselho, estavam alegres porque Deus os havia considerado dignos de sofrer humilhação pelo nome de Jesus.
>
> Atos 5.40-41

Pense nisto por um instante: "estavam alegres porque Deus os havia considerado dignos de sofrer humilhação pelo nome de Jesus". O que será capaz de deter pessoas assim? Esse era o problema das autoridades judaicas com aquela igreja. Eles se perguntavam: "Como vamos parar esse pessoal? Diante da morte, eles se mostram ainda mais alegres! Quando torturados, vão embora contentes! Não há como refrear essa gente. Será que, para nunca mais ouvi-los, teremos de matá-los todos de uma vez? Eles se regozijam nisso; a perseguição os fortalece!".

Enquanto não acolhermos o sofrimento, ao contrário do que fazem muitos cristãos em todo o mundo, não teremos uma igreja inabalável. O inimigo luta arduamente para impedir que atinjamos essa condição porque, quando isso acontecer, ele não terá onde pisar.

De outro mundo

Tem sido revigorante ver, ao longo da última década, cristãos mais conscientes acerca do que as pessoas pensam e sentem.

Em vez de se precipitar em julgar e rotular os outros, eles dedicam tempo a ouvir suas histórias e a considerar suas mágoas e anseios. Isso é bom. Nesse processo, porém, muitos cometem um erro grave: perdem de vista aquilo que Deus pensa e sente. Em sua compaixão pelas pessoas, ignoram a santidade divina. Esquecem-se de que os sentimentos de Deus prevalecem sobre o sentimento de qualquer ser humano. Ou de todos os seres humanos.

"Ainda que todos sejam mentirosos, Deus é verdadeiro", escreveu o apóstolo Paulo (Rm 3.4). Com frequência, no esforço de sermos sensíveis aos outros, perdemos a verdade de vista. Quando agimos assim, amaldiçoamos as pessoas ao invés de abençoá-las. A real compaixão leva em conta muito mais que o sentimento de alguém hoje; ela considera o sentimento desse indivíduo no dia do juízo. De fato, o que alguns cristãos fazem sob a justificativa de serem benevolentes e terem a mente aberta deriva de narcisismo e covardia. Desejando aceitação, ouvimos e bajulamos, recusando-nos a repreender. Se isso é mesmo amor, então os profetas, os apóstolos e o próprio Jesus foram as pessoas mais desamorosas que já passaram por este planeta.

Bem diferente disso, Jesus amou tão profundamente que se dispôs a sofrer toda uma vida de rejeição, tendo sido rejeitado até mesmo por seu Pai na cruz. Jesus nunca perdeu de vista a santidade de Deus e a baixeza do pecado. Ele sofreu por falar a verdade, mostrando-nos que, não raro, o amor genuíno é desprezado. Esse era o método de Jesus. Esse é o método do amor.

É possível que, diferentemente de irmãs e irmãos nossos ao redor do planeta, nunca tenhamos de fugir do sofrimento físico, mas muitos escolhemos fugir da dor da rejeição. Com frequência cada vez maior, as pessoas estão diluindo suas convicções a fim de não ofender ninguém. Em vez de abraçar a perseguição que resulta de contrariar e repudiar o mundo, começamos a abraçar o mundo na tentativa de convencê-lo a ser tolerante conosco. Não deveria ser assim.

> Se o mundo os odeia, lembrem-se de que primeiro odiou a mim. O mundo os amaria se pertencessem a ele, mas vocês já não fazem parte do mundo. Eu os escolhi para que não mais pertençam ao mundo, e por isso o mundo os odeia. Vocês se lembram do que eu lhes disse: "O escravo não é maior que o seu senhor"? Uma vez que eles me perseguiram, também os perseguirão.
>
> João 15.18-20

Ao confrontar os fariseus, Jesus não mediu palavras, dirigindo-se a eles como "raça de víboras" (Mt 3.7; 12.34; 23.33; Lc 3.7) e outras expressões do tipo. Quando viu que as pessoas tentavam lucrar com câmbio de moeda e venda de animais para sacrifício no templo, Jesus as acusou de profanar o templo de Deus e derrubou as mesas em que negociavam (Mt 21.12-17; Mc 11.15-19; Lc 19.45-48; Jo 2.13-22). A hipocrisia dos fariseus e a ganância e o desrespeito dos cambistas provocavam em Jesus justa indignação. Não lhe causa espanto pensar que, além de Jesus, ninguém mais parecia reconhecer o pecado desses dois grupos? Não se vê a multidão de judeus frequentadores do templo de Deus confrontar os fariseus nem se aborrecer contra as atividades profanas que aconteciam ali. As pessoas estavam acostumadas com aquela cena; já era parte da cultura local.

De maneira análoga, penso que nos acostumamos a permitir que o pecado invada a igreja, pois ele é parte de nossa cultura. A mentalidade do mundo do século 21 é muito autocentrada. Aonde quer que se vá, é possível notar isso. Não importa se você firmou um compromisso com outra pessoa;

se ela não o faz mais feliz, você tem o direito de abandoná-la, e ninguém pode julgá-lo. O importante mesmo é se amar. Quando começamos a agir dessa forma na igreja, passamos a adequar nossa teologia aos interesses e, em sentido mais amplo, aos pecados alheios. Para Deus, essa condição é hostil e repulsiva. Não podemos fazer isso com a igreja. Nosso compromisso com o reino deve prevalecer sobre a cultura.

Jesus e os apóstolos foram perseguidos por dizer e ensinar coisas que contrariavam a cultura em que se inseriam. A cultura do nosso mundo é tão, ou mais, asquerosa quanto aquela. Os ensinamentos da igreja deveriam ser radicalmente distintos daqueles oferecidos pelo mundo. Sim, haveria revolta e o número de frequentadores diminuiria, mas a igreja seria purificada. Precisamos retornar a uma teologia centrada em Deus em vez de nos dedicarmos a uma teologia centrada no ser humano. Também precisamos estar dispostos a virar algumas mesas e sofrer por causa disso.

O alvo é Cristo, não o sofrimento

Embora seja crucial estar disposto a sofrer, é preciso ter cuidado acerca de como se vive a teologia do sofrimento. Entenda que o cerne das Escrituras não é o ascetismo. Não estamos buscando o sofrimento pelo sofrimento em si. Estamos buscando Jesus, a quem o sofrimento sempre acompanha. Como crentes, dedicamos nossos dias a buscar o próprio Cristo, assemelhar-nos a ele e cumprir sua missão, e não podemos fazer isso sem deparar com o sofrimento. Deveríamos ser como cavalos equipados com antolhos, mirando apenas adiante, rumo ao nosso alvo. Quando buscamos Jesus obstinadamente, sabemos que a perseguição virá de todos os lados.

Em parte, a razão de termos criado uma cultura cristã descompromissada que evita o sofrimento está no fato de não darmos a Cristo o devido valor. Queremos Jesus, mas limitamos o sacrifício que faríamos por ele. Nós o desejamos, mas também há muitas outras coisas pelas quais ansiamos nesta vida. O evangelho é equiparado a outras "boas-novas", ou mesmo colocado em segundo plano. "Vou me casar!", "Teremos um bebê!", "Nosso time ganhou o campeonato!", "Deus se fez carne, foi crucificado por nossos pecados, ressurgiu do túmulo e retornará para julgar o mundo!". Outros tipos de boas notícias nos causam mais comoção que o evangelho. Imagine quão afrontosa é para Deus essa atitude!

Precisamos reservar tempo para meditar na impossibilidade da cruz. O Deus todo-poderoso, que tudo conhece, cuja voz fez o universo existir, enviou seu Filho para morrer como criminoso a fim de que pudéssemos viver a eternidade com ele. Habitaremos com ele para sempre! Não importa quantas vezes já ouviu isso, se não faz você se curvar em adoração, há algo muito errado.

É esse tipo de foco na eternidade que, em tempos difíceis, nos permite manter as coisas na perspectiva correta. Quando realmente entendemos o que Jesus fez por nós, o sacrifício dele em nosso favor e a incomparável beleza da vida eterna prometida àqueles que persistirem até o fim, é impossível não nos apaixonarmos por ele a ponto de desejar entregar-lhe nossa própria vida em retribuição.

> Sim, todas as outras coisas são insignificantes comparadas ao ganho inestimável de conhecer a Cristo Jesus, meu Senhor. Por causa dele, deixei de lado todas as coisas e as considero menos que lixo, a fim de poder ganhar a Cristo e nele ser encontrado. Não

conto mais com minha própria justiça, que vem da obediência à lei, mas sim com a justiça que vem pela fé em Cristo, pois é com base na fé que Deus nos declara justos. Quero conhecer a Cristo e experimentar o grande poder que o ressuscitou. Quero sofrer com ele, participando de sua morte, para, de alguma forma, alcançar a ressurreição dos mortos!

Filipenses 3.8-11

Pergunte-se se essa passagem o descreve e se ela coincide com a descrição que outros fariam de você. O apóstolo Paulo estava tão obcecado em conhecer Jesus que desejou participar de seu sofrimento. Imagine-se diante de Jesus enquanto ele é açoitado. Você o vê frente a frente e recebe o mesmo castigo que ele. Você experimenta terrível dor, mas fita os olhos nele e reconhece estar diante do Filho de Deus, o Criador de tudo; então, vocês enfrentam a situação juntos. Paulo almejava conhecer Jesus o mais que pudesse, ainda que sob o custo de imenso sofrimento.

É possível alcançar um nível de amor tal que desejemos amadurecer até o ponto de querer esse mesmo tipo de intimidade, no qual nos sintamos pregados na cruz bem ao lado de Cristo. Ainda que perdesse tudo — reputação, conforto e bens —, você contaria essas coisas como lixo por saber que não são nada comparadas à bênção de conhecer Jesus. A importância da provação está em que, por meio dela, nós conhecemos mais a Cristo. Conhecemos o poder de sua ressurreição e a comunhão que há em seu sofrimento.

Ame as pessoas, não o sofrimento

"Se desse tudo que tenho aos pobres e até entregasse meu corpo para ser queimado, e não tivesse amor, de nada me adiantaria", escreveu o apóstolo Paulo (1Co 13.3). A Bíblia é bem clara ao afirmar que o motivo do nosso sofrimento deve ser o amor. Esse foi o exemplo deixado pelo Pai (Jo 3.16) e pelo Filho (Jo 15.13). Se nos sacrificamos por qualquer outra razão, não há mérito nenhum em nosso sacrifício, nem mesmo se decidimos sofrer como missionários. Deus deseja que você ame as pessoas a tal ponto que se sinta arrasado ao vê-las perdidas e sacrifique a própria vida para levar-lhes o evangelho.

Quando foi a última vez que você se sacrificou em favor de alguém? A menos que eu esteja enganado, esse é o propósito do evangelho, não é? Se isso não é ponto pacífico em sua vida e você não consegue pensar em ninguém fora de sua família por quem você se sacrificaria, sua vida precisa ser seriamente examinada. Essa condição é o que separa os cristãos do restante do mundo — sofremos por amar as pessoas, inclusive nossos inimigos.

Tenho amigos que adotaram crianças por desejar ter filhos. Tenho outros amigos que adotaram crianças porque amavam crianças. São coisas bem diferentes. Tenho amigos que amam tanto que adotaram crianças com necessidades especiais ou menores delinquentes não atendidos por abrigos. Essas decisões amorosas comumente mexem muito com a família. Quando pergunto aos casais por que fazem isso, a resposta geralmente é esta: "Não pensamos em quanto vamos sofrer fazendo isso; pensamos em quanto vamos sofrer se não o fizermos".

Quando amamos os outros, somos as mãos e os pés de Jesus, que amou os marginalizados, os rejeitados e os desamparados. No fim da vida, Jesus teve as mãos e os pés pregados em uma cruz. O verdadeiro amor requer algo de nós, e isso sempre implica sofrimento.

Novas expectativas

Amados, não se surpreendam com as provações de fogo ardente pelas quais estão passando, como se algo estranho lhes estivesse acontecendo. Pelo contrário, alegrem-se muito, pois essas provações os tornam participantes dos sofrimentos de Cristo, a fim de que tenham a maravilhosa alegria de ver sua glória quando ela for revelada. Se vocês forem insultados por causa do nome de Cristo, abençoados serão, pois o glorioso Espírito de Deus repousa sobre vocês.

1Pedro 4.12-14

Essa passagem diz tudo! Pedro orientou que não ficássemos surpresos diante das provações como se "algo estranho" estivesse acontecendo (v. 12). Elas são parte do plano. Por terem sido expostas a um falso evangelho, as pessoas questionam a soberania de Deus quando deparam com o sofrimento. As Escrituras dizem que devemos esperar pelas provas. De fato, devemos desejá-las; assim, teremos "a maravilhosa alegria de ver sua glória quando ela for revelada" (v. 13). Pense em Cristo voltando em toda a sua glória. Imagine quão alegre você ficaria se, nesse dia, lhe viesse à memória o sofrimento que suportou por causa dele. Hoje mesmo você pode antecipar as recompensas eternas. Pedro disse que quem sofre rejeição por causa de Cristo é abençoado, pois tem o Espírito do Senhor sobre si. Nosso sofrimento prova que de fato somos cristãos!

Os cristãos acreditam em vida após a morte. A igreja é uma Noiva que acredita que seu Noivo voltará e a levará para viver com ele por toda a eternidade. Nossa confiança nessa verdade produz comportamentos que parecem estúpidos ao mundo descrente. Nossa esperança nos move em direção ao sofrimento. Compreendemos a brevidade da vida e ansiamos intensamente por uma eternidade gloriosa. Temos essa certeza e apostamos tudo nisso, até mesmo nossa vida.

Não sei de ninguém que tenha sofrido mais que o apóstolo Paulo. Ao comentar seu sacrifício pessoal, ele disse: "Se nossa esperança em Cristo vale apenas para esta vida, somos os mais dignos de pena em todo o mundo" (1Co 15.19). Paulo sabia que, se sua existência estivesse fadada a terminar no dia de sua morte, seria uma estupidez fazer o que ele fazia. Contudo, ele confiava que a morte física seria apenas o começo. O sofrimento que vivenciou era a prova de que ele realmente acreditava naquele versículo que todos nós memorizamos primeiro: ele não pereceria, mas teria a vida eterna (Jo 3.16). Essa é a boa notícia. Ele não precisava temer a morte nem o sofrimento, e nós também não precisamos.

Portanto, espere pelo sofrimento, deseje-o e alegre-se ao passar por ele. Esse é o nosso DNA, nossa herança e o plano de Deus para a igreja. Somos chamados para ser um exército tão absurdamente apaixonado por Jesus a ponto de que nada nos abale. É esse o tipo de força que pode transformar o mundo!

> Portanto, uma vez que estamos rodeados de tão grande multidão de testemunhas, livremo-nos de todo peso que nos torna vagarosos e do pecado que nos atrapalha, e corramos com perseverança a corrida que foi posta diante de nós. Mantenhamos o olhar firme em Jesus, o líder e aperfeiçoador de nossa fé. Por causa da alegria que o esperava, ele suportou a cruz sem se importar com a vergonha. Agora ele está sentado no lugar de honra à direita do trono de Deus. Pensem em toda a hostilidade que ele suportou dos pecadores; desse modo, vocês não ficarão cansados nem desanimados.
>
> Hebreus 12.1-3

Façamos dessa mentalidade a nossa arma. Lembremo-nos do céu e vivamos à luz do que está por vir. Incentivemos uns aos outros a atingir níveis cada vez maiores de rendição e ousadia. Encorajemo-nos mutuamente a regozijar no sofrimento. Sim, queremos ser cheios do Espírito, crentes apegados ao evangelho e dedicados à oração; mas não podemos nos esquecer de que também queremos ser cristãos sofredores. Assim foi Jesus, um servo sofredor. Resistamos até o fim.

Poderia ser mais óbvio?

Vou usar alguns trechos bíblicos para encerrar este capítulo já repleto de porções das Escrituras. Faço isso porque quero deixar bem claro que o assunto de que tratamos não é um ensinamento obscuro ou isolado no Novo Testamento. Esse conteúdo pode lhe parecer novidade caso você frequente uma igreja que, em vez de ensinar a Bíblia em sua totalidade, apresenta apenas os trechos considerados mais palatáveis pela maioria das pessoas.

Jesus esclareceu que seguir seus passos implica sofrimento, e todos os outros autores do Novo Testamento também afirmaram isso. Então, por favor, não pule para o próximo capítulo. Em minhas leituras, cometo o erro de ler às pressas os versículos com que tenho familiaridade. Por favor, não faça isso aqui. Dedique tempo para fazer dessas passagens objetos de meditação e oração; isso pode levá-lo a experimentar uma comunhão incrível com Jesus.

> Agora nós o chamamos "*Aba*, Pai", pois o seu Espírito confirma a nosso espírito que somos filhos de Deus. Se somos seus filhos, então somos seus herdeiros e, portanto, co-herdeiros com Cristo.

Se de fato participamos de seu sofrimento, participaremos também de sua glória. Considero que nosso sofrimento de agora não é nada comparado com a glória que ele nos revelará mais tarde.

Romanos 8.15-18

Vistam toda a armadura de Deus, para que possam permanecer firmes contra as estratégias do diabo. Pois nós não lutamos contra inimigos de carne e sangue, mas contra governantes e autoridades do mundo invisível, contra grandes poderes neste mundo de trevas e contra espíritos malignos nas esferas celestiais.

Efésios 6.11-12

Pois vocês receberam o privilégio não apenas de crer em Cristo, mas também de sofrer por ele.

Filipenses 1.29

Deus usará essa perseguição para mostrar que seu julgamento é justo e para torná-los dignos de seu reino, pelo qual estão sofrendo.

2Tessalonicenses 1.5

Suporte comigo o sofrimento, como bom soldado de Cristo Jesus.

2Timóteo 2.3

Sim, e todos que desejam ter uma vida de devoção em Cristo Jesus sofrerão perseguições.

2Timóteo 3.12

Da mesma forma, Jesus sofreu fora das portas da cidade, para santificar seu povo mediante seu próprio sangue. Portanto, vamos até ele, para fora do acampamento, e soframos a mesma desonra que ele sofreu.

Hebreus 13.12-13

Porque Deus se agrada de vocês quando, conscientes da vontade dele, suportam com paciência o tratamento injusto. Claro que não há mérito algum em ser paciente quando são açoitados por terem feito o mal. Mas, se sofrem por terem feito o bem e suportam com paciência, Deus se agrada de vocês. Porque Deus os chamou para fazerem o bem, mesmo que isso resulte em sofrimento, pois Cristo sofreu por vocês. Ele é seu exemplo; sigam seus passos.

1Pedro 2.19-21

Portanto, meus irmãos, não se surpreendam se o mundo os odiar.

1João 3.13

Sabemos o que é o amor porque Jesus deu sua vida por nós. Portanto, também devemos dar nossa vida por nossos irmãos. Se alguém tem recursos suficientes para viver bem e vê um irmão em necessidade, mas não mostra compaixão, como pode estar nele o amor de Deus? Filhinhos, não nos limitemos a dizer que amamos uns aos outros; demonstremos a verdade por meio de nossas ações.

1João 3.16-18

Não tenha medo do que está prestes a sofrer. O diabo lançará alguns de vocês na prisão a fim de prová-los, e terão aflições por dez dias. Mas, se você permanecer fiel mesmo diante da morte, eu lhe darei a coroa da vida.

Apocalipse 2.10

8
Libertos

Durante um almoço na cidade de São Paulo com o pastor de uma congregação bastante exitosa, comecei a encorajá-lo em razão da vitalidade que testemunhei em sua igreja. Ele, porém, me interrompeu dizendo: "Sim, mas a igreja ainda se parece mais com um zoológico, como tantas outras. Nós tiramos essas criaturas da selva e as colocamos em jaulas para que sejam vistas. Você já assistiu ao filme *Madagáscar*?". De imediato percebi do que ele estava falando.

O filme começa mostrando um bando de animais "selvagens" em um zoológico. Os visitantes do local ficam extasiados ao ver criaturas tão poderosas e exóticas. O favorito é o leão; as crianças vão à loucura, vibrando a cada vez que ele ruge. A maioria dos bichos adora viver ali, pois são muito bem cuidados. Treinadores dedicados lhes oferecem tudo de que precisam e garantem que seus alojamentos — meticulosamente preparados para parecerem "selvagens" — sejam seguros e confortáveis.

Porém, a zebra se pega pensando na floresta. Ela não consegue se livrar da ideia de que não foi feita para viver em um zoológico, mas para perambular livremente. Sua inquietação acaba fazendo que os animais escapem dali e, mais tarde, se vejam presos na selva de Madagáscar. O filme é hilário, sobretudo quando se veem animais domesticados tentando sobreviver na floresta. Esses animais nasceram para viver em liberdade, desenvolvendo-se conforme características físicas e instintos próprios. Mas o ambiente do zoológico os amansou, tornando-os imprestáveis na selva.[1]

Fico pensando se você já se sentiu como a zebra. Você participa de sua igreja ativamente, mas tem a sensação de que foi feito para algo maior. Talvez tenha até experimentado a vida na selva, em uma missão internacional ou enquanto falava corajosamente com seus vizinhos. Nesse caso, você conhece a alegria de prosperar usando os instintos de que foi dotado. Mas agora está empacado em um zoológico, onde tudo é confortável e previsível. E seu único desejo é voltar à vida selvagem.

Lições do Oriente

Eu participava de um café da manhã para pastores de megaigrejas, em Seul, quando um deles, líder de uma igreja de setenta mil pessoas, me perguntou: "Como posso fazer minha igreja sair das quatro paredes e viver pela fé?". Ele me contou como se tornara *expert* em reunir pessoas, mas também disse que sua intenção mesmo era vê-las espalhadas compartilhando o evangelho e vivendo por fé. O problema era que haviam se acostumado com o conforto, do qual já não queriam abrir mão.

Um outro líder, esse de uma comunidade menor (de "apenas" quarenta mil membros), explicou que o pastor fundador de sua igreja orientara os fiéis a que não permanecessem ali por mais de cinco anos porque, depois desse período, não haveria nada mais que pudessem aprender com ele. Como ocorre com o jovem que completa 18 anos, seria hora de esses irmãos começarem uma nova jornada. Entretanto, havia um problema: uma vez acomodados confortavelmente no zoológico, recusavam-se a sair dali. Na verdade, nem acreditavam mais que seriam capazes de viver fora daquele ambiente.

Outro local em que estive foi Pequim, onde falei para pastores que serviam em igrejas clandestinas. Na época, a opressão imposta sobre aqueles cristãos já não era tão grande; eles desfrutavam maior liberdade e, então, começaram a erguer congregações aparentes. Alugaram prédios e passaram a conduzir os cultos à maneira norte-americana. Foi ótimo por um período, mas, por fim, aqueles líderes se viram bem desanimados. Queria eu ser capaz de descrever a frustração e o desespero que havia na voz de cada um. Eles falavam sobre os bons e velhos tempos em que os irmãos arriscavam a vida proclamando radicalmente o evangelho e fazendo discípulos. Agora, era lamentável ver o modo como os fiéis vinham aos cultos e esperavam que a liderança os satisfizesse. Aqueles pastores viram transição semelhante quando estiveram na Coreia e lhes causava terror pensar que os resultados podiam ser os mesmos no contexto em que serviam. Tudo o que as pessoas desejavam era um Jesus e uma instituição que atendesse a suas necessidades e lhes garantisse conforto. O que havia começado como um movimento acabou como um punhado de gente acomodada em segurança durante os cultos.

Como em um *flashback*, minha mente me levou para uma ocasião em que estive em uma igreja clandestina na China. Ali, jovens oravam com fervor, clamando a Deus que os enviasse aos lugares mais perigosos, na esperança de morrerem como mártires! Eu, que nunca tinha visto nada parecido, não consigo me esquecer da paixão destemida que aquela igreja nutria por Jesus. Enquanto dividiam relatos de perseguição, permaneci sentado, atônito, pedindo por mais histórias. Passado um tempo, eles me perguntaram por que eu parecia tão intrigado, e lhes contei que a igreja norte-americana era muito diferente. É impossível reproduzir meu constrangimento na tentativa de explicar a eles que vamos semanalmente a prédios onde ocorrem cultos de noventa minutos e que chamamos isso de "igreja". Eu também comentei que as pessoas trocam de igreja quando encontram outra onde o ensino seja melhor, a música seja mais empolgante ou a programação infantil seja mais bem elaborada. Quando lhes contei isso, eles começaram a rir. E não eram sorrisinhos, não; eles riam descontrolados. Eu me senti um ator de *stand-up comedy*, embora estivesse apenas descrevendo o que vivia na igreja. Aqueles irmãos acharam muito engraçado o fato de termos criado algo tão descabido a despeito de lermos a mesma Bíblia que eles.

Certa vez, um pastor das Filipinas cuja igreja somava mais de trinta mil pessoas me contou que, de início, costumava enviar aspirantes a missionários para institutos bíblicos nos Estados Unidos, e depois decidiu nunca mais cometer esse erro. Segundo ele, uma vez em solo norte-americano, aqueles potenciais missionários não queriam mais voltar! Depois de provar tanto conforto, eles apresentavam todo tipo de argumento a fim de alegar que haviam sido chamados para receber um bom salário em uma igreja nos Estados Unidos e que haviam optado por criar seus filhos ali.

Às vezes, é preciso que alguém de fora nos aponte coisas óbvias para as quais nos tornamos cegos. Esse pastor hoje treina missionários nas Filipinas, em um ambiente desprovido de qualquer coisa que os faça querer ficar. Isso os mantém na missão, ou melhor, na selva.

Poder fictício?

Quando a Bíblia descreve o poder que temos à nossa disposição, você não acha um tanto exagerado? Seja em nossa vida individual, seja na igreja, vemos bem pouca manifestação desse poder prodigioso. Acaso essa incoerência desafia sua fé nas Escrituras? "Como é que a Bíblia promete coisas que nunca vivenciamos?" Ou será que você está disposto a assumir que Bíblia é irrepreensível e que a igreja nos adestrou a ponto de duvidarmos desse poder?

Talvez estejamos tão confortáveis no zoológico que descartamos a "selva" como se ela fosse lenda. Que certeza podemos ter de que nossas igrejas não são zoológicos?

Em vez de formar missionários poderosos e destemidos que seguem para os confins da terra, temos uma meia dúzia de gente que vive em um quartinho na casa dos pais e reclama de não ter um grupo de solteiros que possa frequentar. Afinal, como pode um cristão sobreviver fora da jaula de solteiros recebendo alimento uma vez por semana? Estamos muito ocupados garantindo uns aos outros que o desejo de Deus é nos ver em segurança com a nossa família. Buscamos o Senhor de forma bastante questionável, como se nossas únicas preocupações fossem conforto e felicidade.

Igreja, a solução não é construir jaulas maiores e mais agradáveis, nem reformar as que já existem de modo que fiquem mais parecidas com a selva. É hora de abrir as jaulas, permitir que os animais recuperem os instintos e as habilidades que Deus lhes deu e, então, deixá-los livres na selva. Alan Hirsch afirmou: "Muitas igrejas têm como missão a própria manutenção".[2] O que destrói a mentalidade de vítima dos enjaulados não é satisfazê-los cada vez mais, mas enviá-los para fora da jaula.

Também oro para que entendam a grandeza insuperável do poder de Deus para conosco, os que cremos. É o mesmo poder grandioso que ressuscitou Cristo dos mortos e o fez sentar-se no lugar de honra, à direita de Deus, nos domínios celestiais. Agora ele está muito acima de qualquer governante, autoridade, poder, líder ou qualquer outro nome não apenas neste mundo, mas também no futuro.

Efésios 1.19-21

Preste atenção nas palavras "grandeza insuperável do poder de Deus" (v. 19). Quando foi a última vez que alguém fez você se lembrar dessa verdade? Trata-se de algo semelhante ao que Paulo diz em Efésios 3.20: "Toda a glória seja a Deus que, por seu grandioso poder que atua em nós, é capaz de realizar infinitamente mais do que poderíamos pedir ou imaginar".

Consegue citar três pessoas que você conhece e que vivem como quem acredita nisso?

O conteúdo dessa passagem bíblica se aplica a todos nós. Não basta que a incluamos em nossos sermões, pois a fé nesse tipo de realidade demanda oração verdadeira. Precisamos parar de gastar tempo cuidando de supostas necessidades dos fiéis e nos dedicar mais às orações que Paulo apresenta em Efésios 1 e 3. Precisamos de ensinamento bíblico sólido que lembre aos irmãos essas verdades profundas, de modo que eles não corram na direção de prazeres rasos nem se apeguem a comodidades corriqueiras.

Temos condições de fazer muito mais. Somos como bestas-feras criadas para a vida selvagem. O que se espera de nossas reuniões como igreja é que motivemos "uns aos outros na prática do amor e das boas obras" (Hb 10.24). Não me entenda mal. É divertido ver um leão comer o pedaço de carne oferecido pelo funcionário do zoológico, mas essa cena é vergonhosa diante daquela em que se assiste a um leão caçando em meio à selva. É hora de treinar as pessoas para que retornem à vida selvagem, e isso inclui nossas reuniões de adoração (preservando a ordem, claro). Examine o que acontecia nas igrejas descritas em Atos e em 1Coríntios 12—14. Ainda que tivessem sido orientadas a manter a ordem, por meio delas Deus fazia coisas bem insólitas.

Como você descreveria as reuniões em sua igreja? Imagino que o termo "selvagem" não seja muito apropriado, não é?

Mantenha fora do alcance das crianças

Nunca pronunciei essa recomendação em voz alta, mas já fixei uma placa no saguão da igreja informando que era proibida a permanência de crianças com menos de 5 anos no santuário. Incentivávamos que menores de 12 anos participassem da programação infantil em vez de ficar com os adultos. Eu tinha boas justificativas: não queria que os pequenos fossem motivo de distração e acreditava que eles se beneficiariam mais de atividades próprias para sua idade. Ainda penso que devemos considerar esses fatores, mas há algo maior aqui.

Se o Espírito Santo passa a habitar uma pessoa quando ela é salva, as crianças cristãs o recebem em sua plenitude? Em caso afirmativo, elas têm dons para a edificação do corpo? Preste atenção à linguagem surpreendentemente forte que Jesus usa para falar das crianças em Mateus 18.

Depois de orientar os discípulos a permitir que as crianças se aproximassem enquanto ele ensinava os adultos (eu as imagino ao redor dele, talvez sentadas em seu colo), Jesus afirmou: "Eu lhes digo a verdade: a menos que vocês se convertam e se tornem como crianças, jamais entrarão no reino dos céus" (v. 3).

Não sei se alguém consegue fazer uma afirmação mais incisiva que essa. Não se trata de um versículo sobre bebês fofinhos, mas, sim, de algo que deve nos fazer tremer! Se nosso acesso ao céu é condicionado à nossa semelhança com os pequenos, isso não deveria nos levar a observá-los atentamente e, então, imitá-los? Jesus prosseguiu:

> Quem se torna humilde como esta criança é o maior no reino dos céus, e quem recebe uma criança como esta em meu nome recebe a mim. Mas, se alguém fizer cair em pecado um destes pequeninos que em mim confiam, teria sido melhor ter amarrado uma grande pedra de moinho ao pescoço e se afogado nas profundezas do mar.
>
> Mateus 18.4-6

A linguagem de Jesus aqui não poderia ser mais áspera! E ele a usou para criticar aqueles que maltratavam ou menosprezavam as crianças.

"Tomem cuidado para não desprezar nenhum destes pequeninos. Pois eu lhes digo que, no céu, os anjos deles estão sempre na presença de meu Pai celestial" (v. 10). Há quem questione o sentido exato de "anjos deles", mas o que quero destacar é a severa advertência dirigida a pessoas que, assim como eu, se irritam facilmente com crianças insubordinadas.

Jesus insistiu: "Da mesma forma, não é da vontade de meu Pai, no céu, que nenhum destes pequeninos se perca" (v. 14). Pouco antes de dizer isso, ele havia falado sobre a ovelha perdida e as outras noventa e nove que permaneceram no aprisco. Recomendo a você que leia todo o texto. Você sabia que, nessa passagem, Jesus estava se referindo às crianças?

Deus, muito mais que nós, valoriza as crianças e o papel que elas desempenham em seu reino. Precisamos nos arrepender disso e fazer de tudo para reconhecer o valor delas, pois Deus não as enxerga como obrigação ou inconveniência. No caso de minha igreja, essas passagens nos motivaram a incluir as crianças em nossas reuniões, e os resultados têm sido magníficos. É muito edificante e encorajador ouvir o relato dos pequenos acerca do que aprenderam em seu período devocional. Deixar que as crianças orem em favor de nós, adultos, nos torna humildes e vigorosos. A fé incutida em suas orações e a simplicidade com que partilham suas experiências promovem algo que não conseguimos reproduzir.

Lições da África

Minha amiga Jen dirige um ministério responsável por discipular semanalmente mais de 250 mil crianças africanas. Elas visitam grupos marginalizados, curam os doentes e pregam o evangelho. Veja bem: são crianças! Em 2017, esses pequeninos partilharam as Escrituras com 169 grupos de pessoas desamparadas, em locais onde missionários adultos foram mortos por tentar transmitir o evangelho. Jamais nos imaginaríamos usados por Deus da maneira como ele usa essas crianças.

Jen me contou que esses pequeninos visitaram uma vila dominada por densas trevas espirituais. Toda semana, algumas crianças do vilarejo morriam de forma misteriosa, e ninguém descobria a razão. Os pequenos missionários permaneceram corajosamente na região e ali apresentaram suas preces durante horas, pelo que a situação se resolveu e acabaram-se as mortes infantis inexplicáveis. Em vista disso, vários habitantes daquela vila se converteram a Jesus. Há muitos outros casos de crianças que, pela fé no nome de Cristo, levam cura a muçulmanos e a adeptos do animismo. Não causa certo desalento saber que esses meninos e meninas estão transformando vilas inteiras enquanto nossos filhos conhecem a história de Jonas por meio de fantoches e aprendem a balançar as mãos durante o louvor? Será que é isso que está reservado a nós por uma questão de localização geográfica? Acho que estamos desperdiçando nosso recurso mais precioso e tratando nosso melhor bem como mera obrigação.

Libertem as crianças

Precisamos chamar a atenção de nossas crianças para o poder que elas têm. Talvez seja essa nossa falta de expectativas em relação aos pequenos que nos leve, mais adiante, a tratar os pré-adolescentes da igreja como se tudo o que tivessem de fazer fosse rejeitar bebida e sexo. Então, quando chegam ao ensino médio, tentamos entretê-los a fim de que continuem frequentando os cultos. Ouço vir de longe o lamento da ovelha perdida! Tudo bem, podemos seguir fazendo as coisas do jeito que sempre fizemos, mas acho que devemos nos concentrar em libertar, não em domesticar. O que aconteceria se treinássemos nossos jovens leões para o ataque em vez de mantê-los enjaulados? É hora de aprender com as crianças e, assim, obedecer às palavras de Jesus.

Sou pai há tempo suficiente para saber que não há uma fórmula única e infalível quando o assunto é criação de filhos — uma das tarefas mais árduas que se pode desempenhar. Portanto, por favor entenda que não estou afirmando que o meu jeito de fazer as coisas é o certo; quero apenas dar a minha contribuição. Sou fascinado pelos meus filhos, mas não ouso me gabar de nada que se refira à fé ou aos feitos de cada um. Toda e qualquer virtude manifestada neles se deve inteiramente à graça de Deus e ao poder do Espírito Santo. É assim que acredito, e sempre agradeço ao Pai por salvar meus filhos e conceder-lhes poder.

Dito isso, quero comentar o significativo número de pais cristãos norte-americanos que abrem mão da educação escolar de seus filhos e os educam em casa. Não estou alegando que se trata de algo inerentemente ruim. Até agora, todos os meus filhos frequentaram escolas públicas, o que não significa que será sempre assim. O que tenho a dizer é que vejo Deus usar meus filhos de forma poderosa nas escolas que frequentam. Para além de mantê-los virgens ou distantes de álcool e drogas, o Espírito faz maravilhas por meio deles. Nós os vemos compartilhar o evangelho, conduzir amigos a Cristo e defender a verdade diante de seus colegas de classe. Além disso, já confrontaram professores e trouxeram vários deles à igreja. Se de fato cremos no Espírito Santo, nada disso deveria nos causar surpresa.

Há quem diga que colocar um filho em uma escola pública é uma atitude indecente, sob o argumento de que fazer isso é o mesmo que lançar uma criança em um rio caudaloso para ensiná-la a nadar. Essa alegação revela a crença de que Espírito Santo tem pouco ou nenhum poder sobre a vida de nossos filhos. Eu escolhi olhar para meus filhos como nadadores olímpicos: digo que são missionários na escola onde estudam e que podem confiar no poder do Espírito para superar desafios e impactar a vida dos colegas. Minha esperança é que, assim treinados a depender do Espírito, futuramente eles tenham condições de circular entre pessoas marginalizadas e em escritórios de grandes multinacionais.

Repito: não estou propondo que todos matriculem seus filhos em uma escola pública, nem sugerindo que inadvertidamente os exponham ao perigo. Estou apenas questionando se nossa mania de subestimar o poder de Deus não é uma mentalidade que incutimos em nossos filhos e que os afetará por toda a vida. O tempo pode ser o artesão da covardia.

Libertem as pessoas

Ao escrever sobre crianças, não me refiro exclusivamente a elas. As crianças servem para ilustrar o modo como agimos enquanto igreja. Nós as subestimamos e temos receio do que pode acontecer caso as deixemos livres; então, procuramos entretê-las, educá-las e mantê-las isoladas. Alguma semelhança com nossa forma de tratar os membros de nossas igrejas?

Está claro que, quando organizamos a igreja dessa maneira, não menosprezamos apenas as crianças ou os outros irmãos, mas o Espírito Santo! Construímos templos modernos presumindo que Deus age por intermédio de um seleto grupo de pessoas talentosas, notáveis e ricas. A todos os demais, oferecemos cadeiras confortáveis onde podem ser abençoados ao testemunhar o mover de Deus na vida dessas celebridades.

Sinceramente, acredito que precisamos nos ajoelhar e nos arrepender do modo como tratamos o Espírito Santo de Deus. Lemos nas Escrituras afirmações taxativas acerca da manifestação do Espírito por meio de todo cristão, mas escolhemos pensar que nem todo mundo está pronto para cumprir esse papel e que seria mais eficiente deixar toda a responsabilidade sobre os ombros dos tais "talentosos". Não cremos que o Espírito é capaz de agir por meio das pessoas que estão à nossa volta; acreditamos saber mais que ele! Que Deus nos perdoe por erguer igrejas que são verdadeiros impérios fundamentados em nossa pura arrogância!

Não me entenda mal: nossos zoológicos são impressionantes. Os animais realmente aprenderam a se sentir em casa em seus alojamentos. Em muitos casos, um eventual visitante pode de fato se sentir em meio a uma selva! Mas sabemos que há algo para além disso e que não fomos feitos para viver enjaulados. É tempo de parar de construir e manter zoológicos. É tempo de descobrir o que significa ser igreja na selva.

Enviados

Poucos meses depois de chamar seus discípulos, Jesus os enviou ao mundo. Isso não quer dizer que eles estavam completamente treinados e isentos de errar; na verdade, mostra que o envio era parte do treinamento. Jesus não os ensinou dentro de uma sala de aula, mas andou com eles e os enviou. A expectativa de Jesus era que proclamassem arrependimento, expulsassem demônios e promovessem cura (Mc 6.12-13). Ele os advertiu de que estavam sendo enviados como ovelhas entre lobos e explicou que seriam odiados e perseguidos (Mt 10.16-22). Nessa mesma ocasião, Jesus prometeu que receberiam as palavras certas nos momentos mais desafiadores. Era uma missão extremamente perigosa e para a qual tinham apenas o mínimo de preparo.

Talvez tenha sido por isso que aqueles homens foram capazes de fazer discípulos. E o modo como treinamos as pessoas hoje é justamente o contrário! Será que o hábito de manter pessoas em auditórios e salas de aula confortáveis durante anos é mesmo o melhor jeito de treinar líderes destemidos? Considere alguns dos movimentos recentes em outras regiões do mundo; todos resultaram da prática de treinar e enviar, válida para todo cristão.

Veja as seguintes declarações:[3]

- "No Extremo Oriente, um missionário relatou: 'Eu tinha um plano de três anos e o iniciei em novembro de 2000. A meta era que meu grupo plantasse duzentas igrejas nesses três anos. Porém, quatro meses depois, isso já havia sido alcançado. Após seis meses, tínhamos 360 igrejas e mais de 10 mil novos crentes batizados! Agora, tenho pedido a Deus que amplie minha visão'."
- "Cristãos chineses do condado de Qing'na, na província de Heilongjiang, fundaram 235 novas igrejas em um único mês." No decorrer de 2002, um movimento de plantação de igrejas na China ergueu cerca de 15 mil congregações e batizou aproximadamente 160 mil convertidos.
- "Durante a década de 1990, sob incansável perseguição do governo, as igrejas cristãs de um país latino-americano passaram de 235 para mais de 4 mil; o número de pessoas que aguardavam o batismo superou a marca de 30 mil."
- "Depois de séculos de hostilidade contra os cristãos, muitos muçulmanos da Ásia Central [...] estão abraçando o evangelho. No Cazaquistão [no período de 1993 a 2003], mais de 13 mil pessoas se converteram; elas adoravam a Deus em mais de trezentas igrejas."
- "Um missionário [...] na África comentou: 'Levamos trinta anos para plantar quatro igrejas neste país. Mas, nos últimos nove meses, já abrimos 65 novas igrejas'."
- Em Madhya Pradesh, no coração da Índia, um movimento cristão estabeleceu 4 mil novas igrejas em menos de sete anos. Em outra localidade nesse mesmo país, "na

décadas de 1990, o povo Kui, em Orissa, fundou cerca de mil congregações [...]. Em 1999, mais de 8 mil pessoas foram batizadas. Em 2001, abriam uma igreja a cada 24 horas".

- Nos anos 1990, na Mongólia, uma frente de plantação de igrejas alcançou mais de 10 mil novos discípulos. Outro grupo, este na antiga Mongólia Interior, somou mais de 50 mil novos cristãos.

Não é verdade que todos queremos participar de movimentos assim? Bem, pelo menos esse é o tipo de poder que deveríamos desejar ver entre os crentes — à luz das Escrituras, seria sensato ter uma expectativa dessas.

A igreja foi planejada para ser um belo exército, enviado para lançar luz por toda a terra. O que se espera de nós é que levemos bravamente a mensagem de Cristo aos lugares mais remotos, e não que fiquemos todos juntos, escondidos em uma espécie de abrigo. As pessoas devem se admirar ao ver o povo de Deus manifestando "paz que excede todo entendimento" e "alegria inexprimível" (Fp 4.7; 1Pe 1.8). Reflita no conteúdo dessas passagens. Mais uma vez: quando falamos nessas coisas, parece exagero e não algo pelo que se deve aguardar. Alguém já se mostrou incrédulo diante da paz que você demonstra? Você é conhecido por ser absurdamente alegre? Inclua o elemento "grandeza insuperável do poder de Deus" (Ef 1.19) e não passará despercebido. Temos buscado atrair as pessoas com métodos diversos, mas e se elas testemunhassem um exército cheio de alegria inexprimível, paz incompreensível e poder insuperável? Acaso não se mostrariam intrigadas?

Todos ficavam fascinados com a igreja primitiva. Quem não ficaria? Aqueles irmãos dividiam seus bens, estavam sempre alegres, desfrutavam paz para além do entendimento, tinham poder incalculável, não reclamavam de nada, mostravam-se gratos por tudo... Houve quem se juntasse a eles e quem os odiasse, mas poucos os ignoraram. A intrepidez com que compartilhavam o evangelho não dava chance para que fossem tratados com desdém. Essa é a nossa herança. Está em nosso DNA. Devemos parar de criar refúgios onde as pessoas se escondem e começar a produzir e enviar guerreiros destemidos.

9
Voltando a ser igreja

Se eu pudesse voltar no tempo e entregar um bilhete ao Francis Chan de 25 anos de idade, escreveria coisas deste tipo:

"Não tenha dúvida de que deve se casar com Lisa. Você não vai se arrepender."

"Tenha muitos filhos. E não se irrite com a mais velha — ela vai ficar bem."

"Conheça a Deus em vez de apenas servir a ele. Você é propenso a gastar tempo cumprindo tarefas. Deus quer sua companhia, e isso não é desperdício de tempo."

"Quando plantar sua igreja, não copie as outras. Estude a Bíblia com olhos renovados e busque realmente cumprir as ordens de Deus. Você será constantemente tentado a satisfazer sua vontade pessoal ou a de outro. Faça o que mais agrada ao Senhor. O tempo passa bem mais rápido do que você pensa. Você estará face a face com Deus antes do que imagina, portanto não deixe que o discurso alheio o afaste de suas próprias convicções."

Nós faríamos tudo diferente se tivéssemos como voltar e reviver os últimos 25 anos. Uma das bênçãos que recebi foi que realmente tive a oportunidade de recomeçar. Deus me deu uma chance de começar uma nova comunidade, e o Francis mais velho (e, espero, mais sábio) tem lidado com a igreja de maneira muito diferente de como o Francis de outrora o fez. Ainda estamos longe do que acredito que a igreja pode se tornar, mas tenho apreciado muito a jornada até lá.

É verdade que parte de mim preferiria ter feito tudo sempre do mesmo jeito, mas também percebo que Deus usou minhas escolhas para a glória dele. Em perspectiva, vejo que Deus usou até mesmo meu orgulho em favor de seus propósitos. Quando Cornerstone era uma igreja em ascensão, alguns pastores tentaram me convencer de que formar congregações menores era uma maneira mais eficaz de cultivar o amor e a obediência que Deus requer. Em minha arrogância, pensei: "Eles dizem isso porque são incapazes de levantar uma grande igreja e porque a visão deles não é tão ampla quanto a minha. Que ótimo que eles têm sido fiéis com os três talentos que receberam. De minha parte, tenho de ser fiel com os oito ou nove talentos que Deus me deu". É muito constrangedor admitir isso publicamente, mas alguns de vocês talvez se beneficiem dessa minha confissão. Muitos pensam que o melhor que podemos fazer é construir a maior igreja possível. Pode ser que o caminho tortuoso que escolhi sirva para desfazer a noção de que plantar uma igreja pequena é atitude de gente pouco competente e para mostrar que, na verdade, essa talvez seja uma resolução fundamentada na Bíblia e no anseio de alcançar muitas pessoas.

Hesitei bastante até decidir se queria mesmo escrever este capítulo. Até aqui, tratei sobre conceitos bíblicos absolutos. Abordei questões relativas a pecado as quais nenhuma igreja pode ignorar, pois envolvem mandamentos vindos diretamente de Deus. Seria loucura notar falhas nessas questões e não fazer nada a respeito.

Não quero confundir as coisas tratando agora da minha atual experiência eclesiástica, mas sei que muitos estão curiosos sobre como tentamos encarnar esses mandamentos em uma igreja norte-americana do século 21. O propósito deste capítulo é descrever alguns de nossos esforços para obedecer às ordenanças divinas citadas nos capítulos anteriores. Tratam-se de mandamentos santos e perfeitos, e minha intenção com este livro é tão somente incentivar você a mudar o que for preciso para viver em obediência.

Se nossa igreja em San Francisco tiver cem mil membros, isso não deve fazer você se sentir mais motivado. E se ela for reduzida a uma dúzia de pessoas, não deve motivá-lo menos. Os mandamentos de Deus são sagrados, vieram direto da boca do Senhor. Isso deveria ser mais que suficiente para incitar em nós uma incansável busca por obediência. Se um dos meus pastores apresentar uma falha moral na próxima semana (Deus queira que não), isso não invalidará a verdade de tudo o que foi registrado neste livro até agora.

Bem, acho que já dei uma boa dose de advertências e você já captou o que eu quis dizer.

A estrutura é importante

O Novo Testamento evita estabelecer um modelo detalhado de como a igreja deve ser estruturada. Os autores bíblicos poderiam ter sido bem claros quanto à organização eclesiástica; contudo, eles nos deixaram bastante livres com relação a isso. Penso que é importante levar essa liberdade em conta, além de ser parte do mistério da igreja.

Isso não significa, porém, que a estrutura seja irrelevante. Nos muitos anos em que frequentei e pastoreei igrejas, aprendi que temos de agir ativamente na organização de nossa comunidade de fé, porque isso determina a direção em que ela seguirá. É necessário dispor de uma estrutura sólida e biblicamente fundamentada que nos impeça de perder o rumo.

O modelo segundo o qual uma igreja foi estruturada expressa a teologia dessa igreja. Ao reexaminar o projeto inicial da igreja, Tim Chester e Steve Timmis pegaram emprestado o conceito de "estrutura herética" proposto por John Stott. Funciona assim: suponhamos que a declaração doutrinal de sua igreja diga algo sobre o fato de todo crente usar seus dons espirituais para manifestar o Espírito Santo. Isso é boa teologia. Entretanto, deixe-me perguntar: você está certo de que a estrutura de sua igreja não comunica uma teologia diferente? Essa estrutura demonstra que o dom de todo irmão realmente importa? Ou acaso ela sugere que o que vale são apenas os dons do pastor, dos líderes de ministério e de alguns músicos? Se a última resposta foi afirmativa, sua igreja se baseia em uma estrutura herética que certamente fala mais alto que a declaração teológica ortodoxa por ela anunciada. "O que conta não é a teologia que professamos, mas a que praticamos."[1]

Continuo deparando com pessoas que assumem determinadas práticas recentes como absolutamente necessárias. O fato é que algumas dessas voluntariedades podem impedir a igreja de encarnar os princípios bíblicos que deveriam norteá-la. Há, em algumas congregações atuais, elementos que à primeira vista parecem boas ideias, mas que, na realidade, nos afastam da visão bíblica de unidade, comunhão genuína, amor mútuo e compromisso com a missão. Muita gente insiste que, sem tais elementos, não se pode ter uma igreja.

Mais espaço para Deus

Enquanto escrevo este trecho, minha esposa está na garagem. Posso ouvi-la desocupando as prateleiras, desfazendo-se de coisas que acumulamos ao longo dos últimos anos. Gosto muito desse tipo de limpeza. Às vezes, parece até que consigo respirar melhor quando todo o peso morto vai embora. Talvez você já tenha visto algum episódio do programa de televisão *Acumuladores compulsivos*. É sufocante ver as pessoas juntarem tanta tranqueira a ponto de mal conseguirem caminhar pela casa. Já não houve ocasiões em que você se sentiu sufocado por aquele excesso de atividades típico de eventos cristãos? Parece que algo em você deseja mais espaço para respirar, mais espaço para que Deus se mova.

Recentemente, tirei uma folga com a minha família. Por quatro dias, moramos em uma cabana na neve. Estabeleci uma regra para aquele período: nada de eletrônicos — telefone, *vídeo game*, televisão, computador... nada. Sei o que alguns de vocês estão pensando: "Como vocês sobreviveram? O que você fez para convencer toda a família a viver como selvagens por quatro dias inteirinhos?". Digamos que a regra não foi recebida com fogos de artifício, mas todo mundo sabia das minhas intenções. Conforme eu havia previsto, com a falta de aparelhos eletrônicos fomos obrigados a nos entreter com o que tínhamos. Passamos os dias atirando bolas de neve uns nos outros, passeando de trenó, esquiando, fazendo fogueira, brincando com jogos de tabuleiro, conversando, rindo — enfim, todas aquelas coisas que os seres humanos costumavam fazer antes da descoberta dos *smartphones*. Você já deve ter desconfiado: fizemos a maior farra e voltamos para casa como uma família ainda mais unida. Para falar a verdade, alguns de nossos filhos sugeriram que repetíssemos o programa toda vez que saíssemos em férias. Ao abrir mão dos eletrônicos, criamos mais espaço uns para os outros.

Penso que ficaríamos surpresos se descobríssemos quanto mais poderíamos experimentar se tivéssemos menos coisas.

Imagine se a igreja fosse depurada até que restassem apenas um grupo de pessoas com uma Bíblia, um cálice e um pouco de pão. Para alguns, pode parecer entediante; para outros, ideal. Para muitas pessoas ao redor do mundo, é tudo o que conhecem acerca da igreja — e elas amam que seja assim. Uma experiência mais simples com a igreja favoreceria a todos nós: seríamos conduzidos a relacionamentos mais profundos e dependeríamos mais de Deus. Talvez reconhecêssemos que as coisas que agregamos para melhorar nossas igrejas são as mesmas que tiram o espaço de Deus.

Algumas dessas coisas são incorporadas por falta de fé. Na verdade, não temos a expectativa de que Deus se mova e, então, preenchemos nossas reuniões com artefatos chamativos que darão conta de entreter todo mundo ainda que Deus não faça nada. No longo prazo, isso não funciona. Mais cedo ou mais tarde, as pessoas não se deixarão mais seduzir por um tipo de emoção que se pode encontrar em uma sala de cinema. O que as atrai à igreja é a expectativa de encontrar algo sobrenatural. Não tenha medo do silêncio. Não receie que os cultos sejam enfadonhos caso Deus não se manifeste visivelmente. Nos dias de oração em grupo no cenáculo, é necessário ter fé e paciência, mas os resultados são recompensadores. Temos de parar de supor que o maior e mais complexo é sempre melhor que o menor e mais simples. Não podemos continuar aprimorando a *performance* como se ela substituísse expressões genuínas do Espírito por meio de "amadores".

Somos os primórdios da igreja

Em 2013, reuni cerca de vinte pessoas em minha casa. Não havia um plano detalhado, apenas um monte de convicções.

Lembro-me de ter dito, naquela primeira reunião, que meu objetivo era ter como foco a busca por tudo o que li no Novo Testamento. Eu almejava testemunhar aquele profundo amor que une as famílias e ver todos os irmãos usando seus dons. Deixei claro que não seria o pastor daquele grupo para sempre. Em vez disso, em um período de seis meses a um ano, eu dirigiria a igreja, discipularia quatro irmãos e os ajudaria a tornar-se pastores de modo que, quando nossa igreja se multiplicasse em duas, cada uma fosse conduzida por dois desses líderes.

Desenvolvemos um laço familiar tão forte que todo mundo se sentiu contrariado quando chegou a hora de multiplicar, mas entendíamos que aquele passo era necessário a fim de que pudéssemos expandir e produzir mais líderes.

Passamos por várias mudanças nesses anos, e prevejo muitas outras. Considerando que essas transformações sempre ocorrerão, os presbíteros tentaram nos manter focados em alguns princípios elementares. Embora a terminologia tenha sido alterada ao longo do tempo, isto é o que basicamente nos empenhamos em produzir:

Adoradores devotos. Queremos ser cristãos comprometidos em adorar a Deus incansavelmente; não queremos ser aquele tipo de igreja que só adora quando lhe é conveniente ou quando o líder do louvor parece adequado. O Alvo de nossa adoração deve ser o motivo do fervor com que adoramos.

Famílias amorosas. Queremos ser pessoas que se amam mútua e profundamente e que mostram esse amor sacrificando-se umas pelas outras. Nosso objetivo não é apenas nos reunir, mas amar uns aos outros como Cristo nos amou e ser uma unidade assim como o Pai é um com o Filho.

Formadores de discípulos. Desejamos que todos sejam treinados para fazer discípulos. Ninguém deve se comportar como consumidor; precisamos que os irmãos atuem como servos, usando seus dons para a edificação do Corpo.

Missionários cheios do Espírito. Queremos ser gente de caráter sobrenatural, pessoas que em todo tempo compartilham o evangelho com vizinhos e colegas de trabalho. Alguns de nós seguirão para outros países, a fim de fazer Cristo conhecido onde nunca se ouviu falar dele, e receberão o suporte dos que ficarem.

Peregrinos sofredores. Ansiamos ser pessoas que avidamente esperam pela volta de Cristo e estamos dispostos a sofrer porque acreditamos no galardão celestial. Em vez de buscar conforto, prosperamos em meio à dificuldade, recusando-nos a ser contados entre os cidadãos desta terra.

Isso é o que pretendemos como igreja. Não queremos nos prender a nada que nos distraia dessas coisas. Portanto, temos poucas atividades diárias e semanais. Como eu disse anteriormente, a estrutura é importante. É fácil listar o que queremos ser, mas só o seremos se estivermos engajados em práticas que nos levem até esse alvo e nos façam desviar de toda distração.

Veja a seguir algumas das práticas que consideramos úteis na busca de nossos valores.

A Bíblia é lida diariamente. Nossa intenção é que as pessoas fiquem obcecadas por Jesus. Acreditamos que a maneira mais eficaz de cultivar isso é dedicando tempo diário para estar a sós com Deus mediante a leitura bíblica. Todos os membros de nossa igreja seguem o mesmo plano de leitura, o que possibilita que diariamente conversemos uns com os outros sobre as Escrituras.[2]

As reuniões acontecem nas casas. O Novo Testamento apresenta dezenas de ordenanças com a expressão "uns aos outros", convocando-nos a exercer o cuidado mútuo de maneira sobrenatural. Deus deseja que nossos encontros sejam espaços para interações significativas; por isso, nossas igrejas são bem reduzidas (dez a vinte pessoas), e os cultos são domésticos, a fim de garantir a atmosfera familiar. Assim, todos se conhecem e podem usar seus dons em favor dos demais.

Os líderes se multiplicam. Em Lucas 10.2, Jesus orienta os discípulos a orar para que Deus envie mais trabalhadores para a colheita. Por essa razão, não somente oramos mas também constantemente formamos e enviamos novos pastores e presbíteros. Cada igreja tem dois pastores, que treinam dirigentes para a próxima igreja a ser plantada. Os pastores são os pais espirituais da congregação, e a eles cabem autoridade e responsabilidade.

Todos se submetem à autoridade dos presbíteros. É possível que você conheça igrejas domésticas cujos líderes se estabeleceram mediante rebelião contra alguma autoridade e simplesmente decidiram fazer o que bem lhes parecia. Isso não é nada saudável, e o tamanho da igreja não tem relação nenhuma com isso. Como vimos, Deus projetou sua igreja para funcionar sob a liderança e a humilde autoridade dos presbíteros (1Pe 5.1-4). Neste tempo, em que líderes são criticados em toda parte, Deus nos chama a mostrar ao mundo algo diferente: pessoas que amam submeter-se a um Rei e alegremente seguem líderes piedosos.

Todos são ensinados. É responsabilidade da igreja guiar as pessoas à maturidade (Ef 4.11-16). Jesus nos deixou um maravilhoso exemplo ao viver com seus discípulos. Nossa expectativa é que todo integrante de nossa igreja seja conduzido por um cristão mais experiente na fé, alguém que o orientará rumo à maturidade e à santidade.

Todos ensinam. Pouco depois de ressuscitar, Jesus ordenou a seus seguidores que formassem discípulos (Mt 28.16-20). Jesus os estava chamando a compartilhar as boas-novas com aqueles que não o conheciam, os quais deveriam ser ensinados a obedecer aos mandamentos dele. Queremos que nossos irmãos compartilhem o evangelho com os descrentes e os ensinem a formar discípulos.

Todos exercem seus dons. Paulo disse: "A cada um de nós é concedida a manifestação do Espírito para o benefício de todos" (1Co 12.7) e listou vários dons, enfatizando a necessidade de cada crente. Nós criamos espaço para que todos contribuam à sua maneira, tanto nas reuniões quanto na vida cotidiana. Nosso objetivo é a ampla participação da igreja, de modo que cada irmão use seus dons para abençoar os demais.

As igrejas se multiplicam regularmente. Devemos permanecer focados em alcançar aqueles que não conhecem Jesus (At 1.8). Considerando que o ser humano tende a se acomodar, igrejas domésticas podem facilmente se tornar autocentradas em vez de missionárias. Por isso, nossas igrejas têm como meta anual multiplicar-se a fim de preservar um tipo de pressão saudável quanto à formação de líderes e à evangelização. Convenhamos: quando não se estabelecem prazos, pouca coisa é feita.

As reuniões são simples. A igreja primitiva se dedicava "ao ensino dos apóstolos, à comunhão, ao partir do pão e à oração" (At 2.42), e isso é o que queremos fazer. Queremos irmãos ansiosos por partir o pão e fascinados pelo mistério do corpo de Cristo. Queremos pessoas ávidas por estar em oração diante de um Deus santo. Por isso, nós nos empenhamos para evitar agregar às nossas reuniões elementos que possam nos distrair daquilo em que devemos nos concentrar.

Os bens são compartilhados. "Os que criam se reuniam num

só lugar e compartilhavam tudo que possuíam. Vendiam propriedades e bens e repartiam o dinheiro com os necessitados" (At 2.44-45). Os primeiros cristãos eram conhecidos pela maneira como cuidavam uns dos outros, com foco na eternidade e pouco apreço por bens materiais. Nós alegremente compartilhamos nossos recursos diante de necessidades locais e globais (2Co 8.1-15).

Todos são missionários. Deus deseja ser adorado por povos de toda língua e nação (Ap 7.9-10), mas ainda há bilhões de pessoas que nunca ouviram o evangelho.[3] Portanto, pedimos aos irmãos que considerem a decisão de servir entre essas pessoas. Em vez de presumir que devemos ficar onde estamos até que Deus nos chame para outro lugar, parece-nos uma decisão biblicamente fundamentada assumir que devemos sair pelo mundo, a menos que Deus nos diga o contrário.

Não acredito que tenhamos encontrado *a* solução para a igreja do futuro, mas que encontramos *uma* solução. Todavia, as mudanças que implementamos fizeram que nos sentíssemos mais semelhantes à igreja do Novo Testamento. Repito: não estou tentando impor o modelo descrito aqui, mas penso que seria bom para todo mundo se cogitássemos meios de voltar ao que é essencial, abandonando o modo como sempre fizemos as coisas e nos perguntando quais características da igreja de Deus queremos ver entre nós.

Igrejas pequenas, por quê?

Creio que Deus esteja conduzindo um movimento na direção de reuniões mais simples e enxutas, e anseio ver esse movimento ganhar força. Fico muito entusiasmado ao imaginar o avanço da igreja por meio de pequenos e vigorosos atos que remetem à vida dos primeiros cristãos. Minha intenção é que você também sonhe com isso.

Há pouco tempo, o presidente de uma agência missionária bem conhecida expressou seu desassossego quanto à atual situação das missões. O que o afligia era o fato de nos prendermos a métodos obsoletos sem reconhecer que os descrentes de hoje não são como os de outrora. Por que ainda treinamos os missionários para que ergam igrejas se a maioria dos descrentes vive em países onde não se pode construí-las? Ao comentar a urgência com que os cristãos devem impactar esses países, ele disse que o único meio de isso ocorrer é ampliando nossa estreita visão acerca do que é ser igreja. Nosso conceito de igreja deve retornar ao padrão bíblico em vez de fixar-se no que é considerado normal em nossa cultura. Se continuamos a oferecer um modelo baseado em templos abarrotados de gente sentada diante de um pregador, como é que esperamos alcançar aqueles bilhões de pessoas que vivem em lugares onde isso é ilegal?

Se, para compartilhar o evangelho em outro país, nossos missionários precisam abandonar tudo o que lhes ensinamos sobre a igreja, será que estamos mesmo fazendo o melhor? Qualquer que seja sua opinião sobre a eficácia dos pequenos grupos, bastante gente concorda que, em muitos países, essa é a única forma de plantar igrejas. O problema é: considerando que as pessoas que enviamos só foram expostas ao modelo tradicional, como podemos esperar que obtenham êxito?

"Igrejabnb"

Em certa ocasião, conversei com um líder de igreja que costumava usar a rede de hotéis Hyatt como ilustração. Em 2015, o grupo Hyatt tinha 97 mil funcionários.[4] Em contrapartida, o *site* de locação de imóveis Airbnb tinha somente 2.300.[5] Contudo o Airbnb somava muito mais quartos disponíveis que o Hyatt! Na verdade, três anos depois, o *site* disponibilizava mais quartos que as cinco maiores redes hoteleiras juntas![6] Como isso foi possível? Eles transferiram o negócio hoteleiro para as mãos de pessoas comuns. Nem todo mundo tem habilidade e condições para levantar dezenas de milhões de dólares a fim de construir hotéis de luxo. Mas, hoje, qualquer indivíduo que disponha de um *smartphone* pode oferecer hospedagem em um quarto em sua própria casa. Sem erguer um cômodo sequer, o Airbnb rapidamente atingiu quatro milhões de quartos disponíveis!

Existe aqui uma lição que a igreja precisa aprender. Quando se está aprisionado a um modelo ou estrutura estabelecidos há muito tempo, qualquer alternativa parece ridícula. Mas a história está cheia de ideias, empresas e invenções que se mostraram obsoletas quase que da noite para o dia porque alguém sonhou um modo revolucionário de fazer as coisas. Por apresentarem menor dificuldade de implementação, os novos modelos sempre se mostram mais simples e eficientes.

Então, como seria essa revolução estrutural da igreja? Para quais entraves e inutilidades nos tornamos cegos e anestesiados? O que aconteceria se devolvêssemos a igreja às mãos de cristãos comuns? Será que ela cresceria exponencialmente com uma fração mínima de seu custo atual? A "Igrejabnb" é possível?

Acredito que sim. Na verdade, ela já existe por aí há muitos anos — e vem avançando consistentemente nos Estados Unidos, por exemplo. Em San Francisco, temos vivido essa experiência com igrejas dirigidas por irmãos que têm seus empregos de tempo integral. São pessoas que, além de exercer sua atividade profissional, dirigem pequenas igrejas no próprio lar.

Esses líderes podem se transferir para qualquer lugar do mundo sem ter de arrecadar fundos para isso. Eles sabem como exercer sua profissão e pastorear ao mesmo tempo. Sabem trabalhar com afinco e excelência, encontrando no ambiente de trabalho um local propício para fazer amigos entre aqueles que ainda não conhecem Jesus. As oportunidades existem em todo o mundo. A "Igrejabnb" não apenas é possível como também consiste em uma solução prática para muitos dos problemas inerentes ao modelo eclesiástico tradicional.

Potencial para crescer, liberdade para diminuir

Edifícios limitam o crescimento de uma igreja. Se Deus desejar se mover poderosamente e salvar milhares de pessoas, elas não caberão lá dentro. Edifícios também limitam a possibilidade de diminuição da igreja. Se Deus quiser podar a igreja, não conseguiremos pagar as contas mensais. Quando nosso modelo de igreja restringe a atuação divina, algo está errado. Não posso descrever como me sinto feliz por estar à frente de uma igreja onde não há salários e nenhuma perspectiva de que um dos pastores venha a liderar uma grande instituição religiosa (buscamos multiplicar nossas congregações assim que elas chegam a vinte membros).

Lembro-me de quando a Cornerstone se mudou de um templo de duzentas cadeiras para outro de quatrocentas. Foi o máximo! Finalmente, todos podíamos nos acomodar confortavelmente em dois cultos. Mas a empolgação durou poucos meses. Então veio o terceiro culto, depois o quarto, o quinto, o sexto e outras programações. Em menos de um ano, tivemos de decidir o que seria melhor: mudar para um local maior ou ampliar o espaço onde estávamos.

Depois de anos negociando com a prefeitura e levantando recursos para construir um templo, enfim mudamos. Foi o máximo! Finalmente, todos podíamos nos acomodar confortavelmente em dois cultos. Mas a empolgação durou poucos meses. Então veio o terceiro culto, depois o quarto, o quinto...

Parece familiar?

Cada vez que deparava com essa situação, eu pensava: "Não é possível que Jesus faça as coisas desse jeito!". Eu me perguntava se ele realmente interrompia a expansão do reino até que pudesse encontrar espaços mais amplos, apelar aos prefeitos e construir edifícios maiores. Aquilo não fazia nenhum sentido para mim, mas eu não conseguia pensar em nada diferente.

Acabamos optando por comprar um terreno gigante e projetar um auditório com três mil assentos. Então, outro problema me veio à mente. E se gastássemos toda aquela fortuna em um novo templo e as pessoas deixassem de aparecer? Como pagaríamos as contas? Eu me sentiria coagido a manter o templo cheio apenas para manter o orçamento em dia? E também tinha o meu ego: odeio ver cadeiras vazias. Acaso eu teria de evitar temas controversos e me tornar mais diplomático? Paulo disse a Timóteo: "Pois virá o tempo em que as pessoas já não escutarão o ensino verdadeiro. Seguirão os próprios desejos e buscarão mestres que lhes digam apenas aquilo que agrada seus ouvidos" (2Tm 4.3). O que eu faria se as pessoas começassem a se afastar do ensino verdadeiro? O fato é que teríamos gastado milhões de dólares em troca de um auditório cheio de assentos vagos. Sem um número suficiente de ofertantes satisfeitos, deixaríamos de cumprir nossos compromissos financeiros e perderíamos tudo!

A alternativa seria ainda pior: eu poderia fazer sermões menos controversos e, assim, manter a igreja lotada. Não quero ser dramático, mas, honestamente, prefiro morrer a fazer uma coisa dessas. Já falei sério com Deus para que me tire deste mundo antes de permitir que eu desonre seu nome, o que inclui pregar com a intenção de agradar às multidões em vez de agradar ao próprio Deus.

Se essa situação já era difícil em Simi Valley, uma pequena cidade no estado da Califórnia, imagine em grandes metrópoles? Você já tentou comprar um grande imóvel em uma cidade dessas? Pesquise quanto custa, em Nova York, um prédio com capacidade para acomodar mil pessoas. Ainda que fosse possível arrecadar todo o dinheiro, pense nisto: Nova York tem mais de 8,5 milhões de habitantes.[7] Quais seriam seus planos para os que ficariam de fora? Digamos que o Senhor pretenda salvar 10% da população. Mesmo que você tenha bilhões de dólares para gastar, é possível construir templos em número suficiente? Claro que não!

Por outro lado, a maioria das pessoas tem um lugar para morar. Então, se a igreja couber em uma residência, teremos uma infinidade de potenciais congregações onde quer que estejamos. Plantar igrejas pequenas é a melhor maneira de fazer a igreja crescer.

Desconsiderar a possibilidade de multiplicar igrejas pequenas implica desistir das grandes cidades. Devemos, no mínimo, fazer algumas tentativas. O modelo eclesiástico tradicional revela que não temos a expectativa de que Deus alcance nem mesmo 1% da população dessas cidades. Precisamos nos abrir para novas formas de atuação, se não quisermos continuar promovendo umas poucas "megaigrejas" em capas de revistas cristãs e fingindo que isso é fazer a diferença.

Todos sabemos que o mundo está se transformando. Se o modelo que usamos foi criado em um contexto que já não existe, por que supomos que devemos simplesmente continuar fazendo tudo como sempre fizemos? Insistir cegamente em métodos usuais pode ser uma atitude bem semelhante a tentar manter uma videolocadora em tempos de Netflix. É óbvio que não estou defendendo que adulteremos o evangelho ou diluamos a verdade. Estou apenas sugerindo que repensemos o modo como os anunciamos. Não estou nem mesmo tentando alegar que sejamos "antenados" com o mundo atual. Estou propondo que todos voltemos às Escrituras e recuperemos o que se perdeu. Se reconhecemos que nos desviamos do caminho correto, por que não voltamos a ele?

$$$$$$$$$$

Uma das maiores vantagens do modelo de nossa igreja hoje é que ele não requer nenhum orçamento; não precisa haver dinheiro. As ofertas recebidas podem ser inteiramente destinada aos pobres e às missões.

Com base em algumas pesquisas, descobri que, nos Estados Unidos, o custo das igrejas para atender a um único membro durante um ano gira em torno de mil dólares.[8] Ou seja, se dividirmos o orçamento anual de uma igreja (digamos, cem mil dólares) pelo número de membros (por exemplo, cem), chegamos a mil dólares por pessoa. Dependendo da região, esse valor pode ser maior ou menor. Recentemente, tentei ajudar uma igreja em que ele chegava perto de três mil dólares. Faça as contas levando em consideração uma família de nove pessoas, como a minha!

Reconheço que o fato de eu ter crescido em uma família pobre me levou a tentar sempre encontrar o jeito mais barato de fazer as coisas. Sei que posso ser radical quanto a isso, mas mesmo uma pessoa menos comedida terá muita dificuldade para visualizar uma igreja que recebe um milhão de chineses a custo zero enquanto o sistema norte-americano custa mil dólares por pessoa.

Não se trata somente de desperdício, mas também de sustentabilidade. A cada recessão econômica, inúmeras igrejas fecham as portas para nunca mais reabri-las. Uma única mudança no código fiscal dos Estados Unidos seria suficiente para acabar com muitas congregações. Não parece muito sábio privilegiar apenas um modelo eclesiástico que dependa de uma economia vigorosa ou de incentivos ficais. Se a perda de riquezas é capaz de eliminar de uma hora para outra nossa vivência como igreja, o que isso revela acerca do modelo que adotamos?

Não nos esqueçamos de que, enquanto você lê estas palavras, há muita agonia no mundo. Há famílias buscando desesperadamente por água limpa para sobreviver, há gente morrendo de fome, há crianças sendo escravizadas e abusadas. A igreja pode reduzir significativamente essas tragédias se nos dispusermos a adorar a Deus com mais simplicidade. A preocupação com as finanças é importante; contudo, o objetivo não é economizar por economizar, mas para salvar vidas.

Não há como se esconder

Outra significativa vantagem das reuniões pequenas é que nelas aqueles irmãos que passam despercebidos nos assentos mais ao fundo de grandes igrejas se sentem motivados a participar. Ao ver que não há profissionais, as pessoas são mais propensas a colocar seus dons a serviço dos outros. Os membros da igreja se mostram mais comprometidos e participativos quando não há funcionários pagos para fazer as coisas por eles.

Além disso, quando se juntam milhares de pessoas, é impossível que todos na congregação se conheçam intimamente; até mesmo a tentativa de que isso aconteça seria pesada demais. Ambientes menores propiciam maior intimidade e possibilitam que todos sejam discipulados, prestem contas uns aos outros, apresentem-se mutuamente em oração e vivam como família ao longo da semana.

No modelo tradicional, tentar colocar isso em prática causaria grandes dores de cabeça. Nas igrejas pequenas, essa dinâmica ocorre naturalmente.

É tempo de mudar?

Desde o início, a igreja sempre precisou ser podada. Sempre houve necessidade de reformadores que falassem com voz profética, chamando-nos àquilo para que fomos criados. A história da igreja está repleta de reformas de todos os tipos, as quais encaminharam o povo de Deus para perto daquilo que o próprio Deus lhe preparou.

Depois que o cristianismo se tornou a religião oficial de Roma, com a conversão de Constantino, por volta do ano 300, a igreja virou lugar de privilégio e prestígio. As pessoas compravam sua participação na liderança eclesiástica porque, naquela sociedade, esse era o caminho para alcançar poder. Então, Deus levantou um grupo de monges que o buscavam de maneira modesta e apaixonada e que, justamente por agirem assim, expuseram a perversidade e a ganância daquela gente.

No século 16, quando a Igreja Católica se desviou a ponto de vender o perdão de pecados e a pregar a necessidade de esforço humano para que houvesse salvação, Deus levantou Martinho Lutero, que se uniu a um grande grupo de reformadores, como John Wycliffe e Jan Hus, para convocar o povo a voltar ao correto entendimento da graça. Quando a Reforma se mostrou muito institucionalizada, Deus ergueu os anabatistas para que reformassem a igreja reformada. A história registra diversos movimentos reformistas, entre eles o dos celtas, o dos morávios, o da rua Azusa, o Movimento de Jesus etc. Em princípio, toda denominação existente hoje começou como uma iniciativa reformadora cujo objetivo era aproximar a igreja daquilo que está nos planos de Deus.

Há em mim algo que receia que nos tornemos sensacionalistas em relação aos morávios ou aos reformadores do século 16. Mas eles eram pessoas comuns, como nós! Então, por que não fazemos o que eles fizeram? Acredito que nossa geração pode acabar com a mentalidade consumista que existe nas igrejas e, no lugar dela, implementar uma atitude servil, com crentes que prosperam enquanto sofrem pelo nome de Cristo. Não há motivo para não nos juntarmos àqueles que nos precederam; não há razão para não nos tornamos o povo responsável por restaurar o foco missionário da igreja. O que mais você esperaria fazer em seus dias aqui na terra?

A iniciativa de convocar a igreja à mudança não deveria ser considerada excêntrica, dissonante ou inapropriada, assim como nós não deveríamos presumir que somente o nosso jeito de ser igreja é legitimado por Deus. Em vez disso, deveríamos estar em constante busca por renovação, sempre prontos a descartar coisas que agregamos à igreja e que nos desviam do coração de Deus.

Talvez seja o caso de você fazer a "Igrejabnb" acontecer. Talvez não. Não posso afirmar nada quanto a isso. Meu desejo é apenas convencê-lo de que há modos muito interessantes de viver como igreja, modos que não se parecem em nada com os modelos eclesiásticos tradicionais. Meu objetivo é fazê-lo sonhar em vez de se conformar, chamar sua atenção para esse contínuo sentimento de que Deus quer para a igreja algo que vai bem além do que o que você tem experimentado.

À medida que vamos avançando por fé em San Francisco, reconhecemos sinais de crescimento bastante animadores. As pessoas raramente falam em "sermões magníficos", mas conversam com frequência sobre o que descobriram em suas leituras bíblicas. A comunhão por meio da Palavra se tornou natural. Os irmãos reservam horas ou mesmo dias para estar a sós com Cristo, pois apreciam a presença dele. As reuniões de oração duram mais tempo que o previsto, e raramente alguém deseja que terminem logo. As famílias abrem suas casas para receber outras pessoas e, motivadas pelo amor, doam carros, dinheiro e outros bens. Profissionais renomados e ex-presidiários se tornam os melhores amigos uns dos outros. Ex-mendigos dependentes de drogas estão se tornando pastores honrados. Quando nos reunimos, muitos pedem oração por pessoas com as quais compartilharam o evangelho durante a semana. Recentemente, esvaziamos nossas contas bancárias (chegamos a fotografar os saldos zerados) a fim de contribuir para o ministério infantil na África — mais de trezentos mil dólares foram doados por gente que não tem quase nada! As pessoas estão abrindo mão de melhores condições de vida para estar mais próximas de projetos assistenciais. Algumas têm sofrido traição e calúnia, mas isso não lhes tira a alegria. Temos cerca de quarenta pastores que exercem suas profissões em período integral e usam seu tempo livre para servir e discipular. Temos muitos problemas, mas há também vida em abundância.

A impressão é a de testemunhar em grau cada vez maior aquilo que mais agrada a Deus.

Isso me leva de volta ao ponto com que comecei este livro. Nunca estive tão apaixonado por Jesus ou pela igreja como estou agora. E a intimidade que venho experimentando com Deus tem fortalecido meu vínculo com a Noiva. Ainda temos muito que avançar, mas posso dizer com sinceridade que o que vivencio na igreja já não é tão drasticamente diferente daquilo que leio na Bíblia. Deus não quer que isso seja uma exceção; essa é a realidade para a qual ele criou a igreja.

Tenho viajado e visto a igreja de Deus multiplicar e prosperar de maneiras que eu só considerava possíveis em sonho. Agora começo a testemunhá-las. Todavia, eu nunca as teria experimentado se tivesse cedido à magnética inércia que me puxava na direção de atender às expectativas alheias.

Funciona mesmo?

Quando converso com as pessoas sobre essa nova realidade, elas sempre perguntam: "Mas funciona mesmo?". Nem sei ao certo o que querem dizer com isso, se é "As pessoas participam?" ou "Elas gostam de estar ali?" ou, mais objetivamente, "A igreja cresce?".

Essas perguntas não têm cabimento nenhum. Jesus nunca usou esses critérios como índices de sucesso.

Aliás, Paulo alertou Timóteo de que o ensino verdadeiro não "funciona"; na verdade, afasta as pessoas (2Tm 4.1-5). Contudo, Timóteo recebeu a ordem de pregar a verdade porque isso é o que Deus quer!

Lembre-se: não se trata do que eu ou qualquer outra pessoa gostaria que fosse, nem do que "funciona" ou "não funciona". A igreja é para o Senhor.

Isso posto, creio que ficaríamos surpresos ao conhecer a vontade divina. Podemos deparar com pessoas realmente atraídas a uma comunidade dedicada a desfrutar a presença de Deus. Afinal, isso foi suficiente para atrair mais de cem milhões de pessoas à igreja clandestina na China. Quem sabe Deus esteja esperando por um grupo de cristãos que se desfaçam daquilo que pensam que vai funcionar e se dediquem àquilo que ele ordenou. Foi Jesus quem perguntou: "Mas, quando o Filho do Homem voltar, quantas pessoas com fé ele encontrará na terra?" (Lc 18.6).

Aonde o Espírito mandar

Estou certo de que, a esta altura, você está se perguntando um monte de coisas. Isso pode ser um bom sinal. Fique à vontade para vasculhar nosso *site* (wearechurch.com) a fim de obter mais informações, mas talvez essa seja a pior coisa que você possa fazer. É mais fácil copiar os outros que buscar a Deus. Como venho insistindo, este capítulo não se destina a ser um manual do que acredito que toda igreja deva fazer. Só não me pareceu correto dizer tudo o que eu disse neste livro e, no final, me recusar a compartilhar algumas coisas que temos feito em San Francisco — e que podem coincidir com o que Deus quer que você faça aí onde está. Isso, porém, você só vai descobrir mediante oração diligente.

Minha esperança é que você se recuse a pegar a rota mais fácil. É necessário zelar pela igreja a ponto de jejuar e orar. É mandatório acreditar que a igreja precisa de você. Busque a sabedoria e a direção de Deus, que lhe deu seu Espírito a fim de que você conheça e siga a vontade dele. Não há como substituir a oração concentrada. O mundo precisa encontrar igrejas que não possam ser explicadas com meros planos estratégicos. Creio que tudo em você anseia que o Espírito Santo se mova por meio de sua vida e faça mais do que você imagina. Comece a orar por isso agora mesmo.

Comentários finais

Logo você verá a Deus, e nada é capaz de descrever quão perplexo você ficará nessa ocasião. O erro mais trágico que você pode cometer aqui na terra é subestimar quão vulnerável se sentirá ao ver a face do Senhor. E as decisões mais sábias que pode tomar nesta vida são aquelas que levam em conta esse dia que está por vir.

Durante toda a vida, eu me debati com o desejo de ser respeitado pelos outros. Em razão disso, por muitas vezes me escondi temendo a rejeição. Tirei meus olhos do futuro e fiz o que era mais fácil — e hoje me arrependo amargamente de ter agido assim. A Bíblia registra incontáveis histórias de homens e mulheres de Deus que se ativeram ao que era correto, mesmo que tal atitude implicasse intensa dor e rejeição. Sempre peço a Deus que me conceda graça e me abençoe com coragem para seguir o exemplo desses irmãos. Oro nesse sentido por você também. De verdade.

> Vocês precisam perseverar, a fim de que, depois de terem feito a vontade de Deus, recebam tudo que ele lhes prometeu. "Pois em breve virá aquele que está para vir; não se atrasará. Meu justo viverá pela fé; se ele se afastar, porém, não me agradarei dele." Mas não somos como aqueles que se afastam para sua própria destruição. Somos pessoas de fé cuja alma é preservada.
>
> Hebreus 10.36-39

Jesus está voltando. Aqui nos Estados Unidos, encontro pouca gente que vive como quem acredita nisso. Jesus deixou para nós a advertência mais taxativa já feita: o Apocalipse. Ninguém consegue fazer uma advertência mais imperiosa que essa, porque ninguém é capaz de cumprir as ameaças que ele prometeu. Por amor, Jesus fez alertas terríveis à igreja com relação ao dia do juízo. Inúmeras vezes no Apocalipse, ele anunciou: "Arrependa-se; do contrário...". Então, no restante do livro, explicou como serão as tais consequências. Jesus fez isso para que ninguém ignore seus mandamentos; e, no entanto, nós os ignoramos. De algum modo, passamos a nos considerar imunes às advertências do Deus todo-poderoso.

O que mais me assusta nas cartas de Jesus às igrejas do Apocalipse é o fato de algumas dessas igrejas parecerem mais saudáveis que muitas das que já visitei, embora o Senhor lhes tenha deixado alertas aterrorizantes. Fico pensando o que ele diria a nós, dado o que disse àquela gente: "Arrependa-se; do contrário..."

- "... virei até você e tirarei seu candelabro de seu lugar entre as igrejas" (Ap 2.5).
- "... virei subitamente até você e lutarei contra eles com a espada de minha boca" (v. 16).
- "... sofrerão terrivelmente, a menos que se arrependam e abandonem a prática de tais atos. Matarei seus filhos, e então todas as igrejas saberão que eu sou aquele que sonda mente e coração. Darei a cada um de vocês aquilo que seus atos merecem" (v. 22-23).
- "... virei subitamente até você, como um ladrão" (3.3).
- "... eu o vomitarei de minha boca" (v. 16).

As igrejas às quais Jesus se dirigiu bem poderiam ser confundidas com as que vemos por aí. Algumas seriam até mesmo exaltadas como *cases* de sucesso. É por isso que não se pode copiar ou seguir cegamente os passos de quem é "bem-sucedido". É necessário submeter-se à liderança de irmãos verdadeiramente piedosos — ou se tornar um deles.

Do mesmo modo, não siga irrestritamente tudo o que escrevi aqui. Estude a Palavra de Deus, passe tempo a sós com ela e com o Espírito Santo. Busque o Senhor de todo o coração e apresente tudo em rendição a ele. Não se apegue obstinadamente a nada, nem mesmo à sua família. Deus é digno de todas as coisas.

Sirva à Noiva, pois Jesus está voltando. Não podemos nos dar ao luxo de fazer o que bem entendemos enquanto a Noiva definha. Todos queremos ser achados ao lado dela, aflitos por sua condição, dispostos a sacrificar qualquer coisa para vê-la bem.

> *Pai, obrigado por nos escolheres como parte de algo tão sagrado. Perdoa-nos pelas vezes em que nossa preguiça enfraqueceu a igreja e pelas ocasiões em que nosso orgulho a dividiu. Dá-nos fé como a das crianças para que impactemos a igreja com o poder do Espírito Santo.*
>
> *Que sua Noiva se torne atraente, dedicada e poderosa de um modo que não se possa explicar.*
>
> *Que cada um de nós anseie por ela para a glória do Senhor. Mantenha nossa mente corajosa e humildemente concentrada na batalha. Renove o nosso amor a cada dia a fim de que, quando voltares para nos julgar, tu nos encontres servindo fielmente à sua Noiva. Amém.*

Epílogo
Sobrevivendo à arrogância

Não foi fácil para mim escrever este livro, porque sei que, nas mãos erradas, ele poderá mais machucar que ajudar a igreja. É difícil falar objetivamente sobre problemas da igreja, pois há pessoas que gravitam em torno de críticas. Em vez de usar este conteúdo como ferramenta de autoavaliação, elas vão usá-lo como munição. O orgulho corre solto na igreja, e o conhecimento tem um jeito peculiar de fazê-lo crescer (1Co 8.1). Posso ver gente arrogante marchando em direção aos gabinetes pastorais e acusando os líderes por todas as falhas de sua igreja. "Leia este livro do Francis Chan! Ele concorda comigo quanto à necessidade de mudança nesta igreja!" Esse comportamento é a última coisa de que a igreja precisa.

Muitos de vocês estão cheios de entusiasmo, ávidos por reforma. Desejam ver a igreja florescer e querem ser usados por Deus para que haja mudança. Mas, para alguns, Deus não fará isso. Vocês falharão terrivelmente por uma razão: falta de humildade. "Deus se opõe aos orgulhosos, mas concede graça aos humildes" (Tg 4.6). Ao invés de ser instrumento de Deus para reavivar a igreja, você será usado pelo inimigo para destruí-la.

Ao escrever as páginas finais deste livro, senti-me impelido a me dirigir aos arrogantes, na esperança de evitar que as igrejas sofram eventuais divisões. Contudo, quando comecei a trabalhar nesse sentido, dei-me conta de que esse tipo de esforço raramente dá resultado. Já tentou convencer um orgulhoso de que ele é orgulhoso? Alguns de vocês são extremamente orgulhosos, mas não conseguem se dar conta disso porque... são extremamente orgulhosos. Vocês leem este parágrafo e meneiam a cabeça como se eu estivesse falando de outra pessoa. Então, sabendo que minha intenção não daria em nada, decidi escrever algumas palavras de encorajamento àqueles que têm de lidar com orgulhosos. Penso que podemos chamar este trecho de "Amando o arrogante: Guia do líder".

Já houve vezes em que fiquei muito irritado e desanimado com críticas. Nada disso é bom para a igreja. A impressão que tenho é que semanalmente encontro pastores prontos a desistir diante do muro das críticas. A igreja não resistirá se vier a perder mais servos. Se você já se sentiu como esses pastores, escrevo para incentivá-lo não apenas a perseverar mas também a prosperar enquanto ministra aos orgulhosos. Alguns de vocês desistiram da liderança, e espero convencê-los a retornar. Alguns de vocês fugiram do chamado porque não querem enfrentar os ataques — é muito mais fácil se esconder em um quartinho e iniciar um *blog* ou um *podcast* onde possam criticar os outros, mas quero desafiá-los a edificar o corpo de Cristo. É infinitamente mais fácil derrubar um prédio que erguer um novo; esta segunda iniciativa é extenuante, mas a igreja é digna de cada esforço. A igreja não dispõe de líderes em número suficiente prontos a receber críticas e ser responsabilizados pelas falhas. Se formos capazes de nos humilhar e aprender a absorver as queixas com serenidade, nossos melhores dias estarão por vir.

Deus quer que a igreja ame a noção de autoridade. A vontade dele é que sejamos diferentes: um estranho grupo de pessoas que realmente amam ter um Rei e se mostram gratas pelos comandos que recebem dele. O desejo do Senhor é que tratemos os pastores e os líderes como dons que ele deu à igreja, pois é assim que ele os vê.

> Ele designou alguns para apóstolos, outros para profetas, outros para evangelistas, outros para pastores e mestres. Eles são responsáveis por preparar o povo santo para realizar sua obra e edificar o corpo de Cristo, até que todos alcancemos a unidade que a fé e o conhecimento do Filho de Deus produzem e amadureçamos, chegando à completa medida da estatura de Cristo.
>
> Efésios 4.11-13

Recentemente, ouvi uma pessoa da igreja dizer: "Amo estar sob a liderança dos presbíteros", e confesso que achei bem estranho! Alguém se mostrando grato por haver autoridade? Gostei muitíssimo de ter ouvido aquilo, mas que achei esquisito, achei. Palavras de incentivo dirigidas a autoridades são coisas bem incomuns no mundo em que vivemos, mas essa é uma oportunidade de fazermos a diferença.

Ademais, seguimos um Rei que difere de todos os outros reis da história. Ele é o Rei que alegremente se submeteu a seu Pai. De fato, Jesus afirmou que diria e realizaria apenas aquilo que o Pai lhe orientasse a dizer e realizar: "Eu lhes digo a verdade: o Filho não pode fazer coisa alguma por sua própria conta. Ele faz apenas o que vê o Pai fazer. Aquilo que o Pai faz, o Filho também faz" (Jo 5.19). E também: "Não falo com minha própria autoridade. O Pai, que me enviou, me ordenou o que dizer. E eu sei que o mandamento dele conduz à vida eterna; por isso digo tudo que o Pai me mandou dizer" (Jo 12.49-50).

Frequentemente, nossa cultura vê tal submissão como sinal de fraqueza e degradação, mas esse foi o exemplo deixado por Jesus todo-poderoso. Ele se submeteu à liderança. Jesus não tinha mais nada a oferecer senão louvor ao Pai. Pode ser uma atitude incomum, mas foi o exemplo que recebemos. Jesus era um líder humilde *e* um discípulo humilde, e sua humildade não tinha nada a ver com fraqueza. A igreja se tornaria muito atraente se todos nós reproduzíssemos a humildade de Jesus.

Ao compartilhar os princípios listados a seguir, de forma nenhuma estou afirmando que sou especialista neles. Ainda tendo a me irritar, ficar na defensiva ou me sentir frustrado, mas esses são os valores bíblicos que renovam a minha mente. Eles me fazem crescer em caráter, e espero que se mostrem úteis também em sua vida. É possível servir a pessoas negativas com humildade e graça; isso não garantirá que elas cresçam, mas é certo que você crescerá.

Considerem motivo de grande alegria

> Meus irmãos, considerem motivo de grande alegria sempre que passarem por qualquer tipo de provação, pois sabem que, quando sua fé é provada, a perseverança tem a oportunidade de crescer. E é necessário que ela cresça, pois quando estiver plenamente desenvolvida vocês serão maduros e completos, sem que nada lhes falte.
>
> Tiago 1.2-4

Só amadurece completamente quem é exposto a ataques. Sei que não soa justo quando o ataque vem de dentro da igreja; porém, Deus usa situações desse tipo a fim de nos santificar. Para nos tornarmos como Jesus, precisamos de um Judas. Quando todos à nossa volta nos amam, é quase impossível desenvolver o caráter que Deus pretende que tenhamos como filhos dele. Pessoas sensatas não contribuem para o nosso crescimento do mesmo modo que os arrogantes. Não mostramos o amor de Cristo quando amamos quem nos ama, mas quando amamos aqueles que nos caluniam (Mt 5.44-45). Alegre-se na santificação. Desafie-se a crescer a ponto de se tornar grato por existirem pessoas difíceis de lidar.

Ouçam humildemente

Aquilo que é dito mediante atitude errada não é necessariamente errado. Um engano que já cometi várias vezes foi responder ao orgulho com orgulho. Em muitos casos, tudo o que eu deveria ter feito era morder a língua e manter a calma. Ouvir pessoas arrogantes na tentativa de encontrar a verdade em suas palavras requer um nível de humildade que eu não tinha.

Sempre fico impressionado quando leio este relato acerca de Davi:

> Então Abisai, filho de Zeruia, disse: "Por que este cão morto amaldiçoa meu senhor, o rei? Dê a ordem, e eu cortarei a cabeça dele!". O rei, porém, disse: "Quem pediu a opinião de vocês, filhos de Zeruia? Se o Senhor mandou este homem me amaldiçoar, quem são vocês para questioná-lo?". Então Davi disse a Abisai e a todos os seus servos: "Meu próprio filho procura me matar. Não teria este parente de Saul ainda mais motivos para fazer o mesmo? Deixem-no em paz. Que ele me amaldiçoe, pois foi o Senhor que o mandou. Talvez o Senhor veja que tenho sido injustiçado e me abençoe por causa dessas maldições de hoje". Assim, Davi e seus homens prosseguiram em seu caminho. Simei os seguia pela encosta de um monte próximo, amaldiçoando Davi e atirando pedras e terra contra ele.
>
> 2Samuel 16.9-13

Imagine Davi marchando com seu exército quando um tolo aparece lançando contra ele pedras e maldições. Um soldado pergunta a Davi se deve cortar a cabeça do homem, e a resposta do rei é que deixe o tolo em paz. Qual foi o pensamento de Davi? Ele considerou a possibilidade de o tal homem ter sido enviado por Deus! Assim, suportou pacientemente a maldição só porque havia a chance de aquela ser uma mensagem divina.

Para ser honesto, muito raramente consigo ouvir pessoas orgulhosas. Minha tendência é ficar na defensiva, atacar ou responder com sarcasmo. Entretanto, recentemente houve algumas vezes em que, pela graça de Deus, fui capaz de ouvir com a intenção de achar alguma verdade naquelas palavras, ainda que estivesse sendo desrespeitado. Houve até mesmo algumas ocasiões em que agradeci uma crítica desarvorada que me mostrou meu pecado. É assombroso ver como a pronta humildade pode dissolver uma situação de tensão. Isso não quer dizer que devemos tolerar críticas raivosas. Como líderes, precisamos dar exemplo de humildade e evitar a armadilha de nos tornarmos hipócritas, pois essa postura só daria mais munição ao orgulhoso.

Perdoa-lhes, pois não sabem o que fazem

Em Romanos 11, Deus orienta os gentios a que não se orgulhem por entendê-lo de um modo que os judeus não entenderam. Paulo lembrou os gentios de que fora pela graça de Deus que os olhos deles haviam sido abertos. No mesmo episódio, o apóstolo fez este comentário sobre os judeus: "Deus os fez cair em sono profundo. Até hoje, fechou-lhes os olhos para que não vejam, e tapou-lhes os ouvidos para que não ouçam" (v. 8). A intenção de Paulo era explicar que não faz sentido alguém vangloriar-se do próprio discernimento espiritual, pois este é dado por Deus.

Pense assim: se eu comprasse uma Ferrari novinha para o meu filho (algo que nunca vai acontecer) e ele condenasse os amigos por irem de bicicleta à escola, isso seria um absurdo. Meu filho deveria ser sábio o suficiente para se reconhecer como criança mimada que nada fez para merecer o carro. Não haveria coisa alguma de que se gabar. Da mesma forma, se você tem ao menos um bocado de humildade, é pela graça de Deus, que o abençoou. Se realmente acreditamos nisso, então não faz nenhum sentido ficarmos irados com os outros por não terem recebido a mesma graça. Agradeça a Deus pelo discernimento, pela sabedoria e pela humildade com que ele o agraciou. Esteja pronto para perdoar qualquer pessoa que tenha magoado você e peça a Deus que, por misericórdia, abra os olhos desse alguém.

Celebre com os orgulhosos

> Nós que somos fortes devemos ter consideração pelos fracos, e não agradar a nós mesmos. Devemos agradar ao próximo visando ao que é certo, com a edificação deles como alvo. Pois Cristo não viveu para agradar a si mesmo. Como dizem as Escrituras: "Os insultos dos que te insultam caem sobre mim".
>
> Romanos 15.1-3

Passei muitos anos riscando nomes da minha lista de afetos. Eu não sabia como amar quem me aborrecia; era muito mais fácil evitá-los. Encontrava meios de justificar meus atos, mas, no fim das contas, estava mesmo era desagradando a Deus, que nos ordena a "ter consideração pelos fracos" (v. 1). É verdade que algumas pessoas nos ferem, mas devemos aprender a valorizar menos os nossos sentimentos e mais a igreja de Deus. Podemos prejudicar seriamente a igreja quando temos mais interesse em validar nossos próprios sentimentos que em exaltar a Noiva de Cristo.

Tenho certeza de que você consegue pensar em pessoas as quais gostaria de ver desaparecer. Pode ser que algumas vezes você tenha orado a Deus pedindo que ele tirasse alguns indivíduos da igreja. Pode ser difícil conviver com orgulhosos, mas evitá-los não é uma alternativa. Temos a obrigação de amar e de sofrer insultos como Cristo fez em nosso favor.

O profeta Isaías afirmou: "Portanto, o Senhor esperará até que voltem para ele, para lhes mostrar seu amor e compaixão. Pois o Senhor é Deus fiel; felizes os que nele esperam" (Is 30.18). Apesar das inúmeras vezes que os israelitas falharam e se rebelaram contra Deus — eles praticamente cuspiram na bondade que Deus lhes ofereceu —, o Senhor os amou a ponto de *esperar* para ser gracioso com eles. E, diferente de nós, Deus é um Rei perfeitamente santo que nunca erra. Então, o que dizer de nós, humanos? Que coisas deveríamos estar dispostos a suportar e, assim, mostrar compaixão pelas fraquezas alheias?

Não tolere divisão

Somos chamados a amar os orgulhosos, mas há um momento de impor limites. Quando eles começam a fofocar ou a falar mal da liderança ou de outros membros, as regras mudam: "Se alguém tem causado divisões entre vocês, advirta-o uma primeira e uma segunda vez. Depois disso, não se relacione mais com ele. Tais indivíduos se desviaram da verdade e condenaram a si mesmos com seus pecados" (Tt 3.10-11).

É raro ver esse mandamento sendo levado a sério. Quanto mais sadios formos nós, mais a igreja também o será. Pessoas orgulhosas tendem a ser fofoqueiras, e é aí que ultrapassam a linha estabelecida por Deus. É impressionante a rapidez com que uma pessoa conflituosa pode dividir uma igreja. Muitas comunidades de fé foram destruídas porque seus líderes não se dispuseram a confrontar e afastar esse tipo de gente. As Escrituras afirmam claramente que, depois de duas advertências, devemos cortar relações (v. 10). Não é que estejamos condenando os orgulhosos. O texto bíblico diz que eles "condenaram a si mesmos" (v. 11). Se nos recusarmos a afastá-los, seremos culpados por desobedecer às Escrituras.

Muitos acreditam que é desamoroso afastar alguém da igreja e, em nome da compaixão, desobedecem aos mandamentos bíblicos (Mt 18.15-20; 1Co 5; Tt 3.10-11). Por favor, não se deixe enganar: isso não é compaixão, mas rebelião. Quando permitimos que certas pessoas permaneçam entre nós, essa conduta revela que desprezamos a santidade da igreja de Deus, pois é o mesmo que cruzar os braços e deixar que o povo santo do Senhor seja dividido. Deus abomina isso.

Já comentei aqui o modo como Davi honrou a Saul em razão da posição de autoridade que este ocupava. Mas acaso você já atentou para o comportamento de Absalão, filho de Davi? Leia 2Samuel 15 e veja como o espírito e as atitudes de Absalão predominam na igreja hoje.

> Todas as manhãs, ele se levantava cedo e ia até o portão da cidade. Quando alguém trazia uma causa para ser julgada pelo rei, Absalão perguntava de que cidade a pessoa era, e ela lhe respondia a qual tribo de Israel pertencia. Então Absalão dizia: "Sua causa é justa e legítima. É pena que o rei não tenha ninguém para ouvi-la". E dizia ainda: "Quem me dera ser juiz. Então todos me apresentariam suas questões legais, e eu lhes faria justiça!". Quando alguém ia se prostrar diante dele, Absalão não o permitia. Ao contrário, tomava-o

pela mão e o beijava. Fazia isso com todos que vinham ao rei pedir justiça e, desse modo, ia conquistando o coração de todos em Israel.

2Samuel 15.2-6.

Notou o que Absalão dizia? Ele falava mal da liderança de Davi, mas o fazia de modo engenhoso e cauteloso. Ele calmamente afirmava desejar que as coisas fossem de outro jeito e explicava como as tornaria diferentes se estivesse no comando da nação. Assim, ele "ia conquistando o coração de todos em Israel" (v. 6). Toda igreja tem seus Absalões, que procuram ganhar seguidores por meio de discurso bem feito. Eles convencem as pessoas a questionar a liderança e explicam como fariam diferente se estivessem à frente da congregação. Como foi com Absalão, essas coisas são ditas em tom de cuidado para mascarar a perversidade de quem as pronuncia. Não caia nessa. Já existe muita gente equivocada gabando-se de ser um "porto seguro" por se dispor a ouvir reclamações e mágoas dos outros sem julgá-los. Se você é uma dessas pessoas, saiba que isso não é um dom, mas uma debilidade. É gente como você, que ouve passivamente fofocas em vez de confrontá-las, que permite que os Absalões dividam as igrejas. Você precisa ser mais corajoso e impedir quem quer que seja de dividir a santa igreja de Deus ou difamar os líderes que ele ungiu. Ao ouvir alguém falar mal de um irmão, coloque-os frente a frente. Tenha coragem suficiente para promover reconciliação. "Felizes os que promovem a paz, pois serão chamados filhos de Deus" (Mt 5.9).

Não se deixe comover por qualquer lágrima

Devo ressaltar que não estou desprezando aqueles que foram feridos por uma igreja ou um pastor. Escrevi este livro para apontar áreas em que a igreja está falhando. Não estou tentando varrer para debaixo do tapete as situações de abuso. Estou pedindo que você se mantenha consciente de que, na igreja, há pessoas que se tornaram especialistas em fazer-se de vítimas. São vítimas profissionais, o que geralmente tem raiz no orgulho. Elas aprenderam que lágrimas quase sempre garantem êxito: se logo de cara as coisas não saírem como o previsto, chore e depois chore mais um pouco; ao fazer isso, você se coloca em condição de vítima, o que significa que a pessoa que o aborreceu ocupa o lugar do vilão. O choro pode ser uma arma poderosa.

Ainda me lembro da primeira vez que tive de lidar com isso. Foi vinte anos atrás, e eu estava palestrando em uma conferência para solteiros. Depois da mensagem, um grupo de pessoas formou uma fila para falar comigo. Alguns vieram em busca de aconselhamento; outros, com palavras de incentivo. Uma moça veio me contar sobre um pecado. Quando lhe expliquei a gravidade daquele pecado e a encorajei ao arrependimento, ela se jogou no chão, encolheu o corpo e começou a chorar alto, trêmula, dizendo: "Você está me assustando! Não me sinto segura aqui!". Vitória instantânea. Todos me olhavam como se eu fosse o bandido. Agora minha tarefa deveria ser colocar minha mão no ombro da moça e me desculpar por tê-la magoado. De uma hora para outra, eu é que era o pecador, e ela, a vítima. Xeque-mate! Eu pareceria negligente se ficasse olhando para ela em vez de lhe pedir desculpas e paparicá-la, e ela ainda poderia se queixar com os outros de como eu a havia machucado.

Obviamente, há muitas lágrimas genuínas, que demandam consolo. De modo nenhum queremos nos tornar insensíveis diante da dor alheia. Como pais e mães, devemos aprender a distinguir o choro verdadeiro das lágrimas manipulativas e motivadas por desejo de atenção. Seu lado compassivo será tentado a consolar toda pessoa que aparecer chorando, mas isso nem sempre é a coisa mais amorosa a se fazer. O apóstolo Paulo não se arrependeu de ter feito alguém chorar; na verdade, afirmou que a tristeza pode ser boa. Por amar os irmãos de Corinto, ele lhes causou dor na esperança de que se arrependessem.

> Não me arrependo de ter enviado aquela carta severa, embora a princípio tenha lamentado a dor que ela lhes causou, ainda que por algum tempo. Agora, porém, alegro-me por tê-la enviado, não pela tristeza que causou, mas porque a dor os levou ao arrependimento. Foi o tipo de tristeza que Deus espera de seu povo, portanto não lhes causamos mal algum. Porque a tristeza que é da vontade de Deus conduz ao arrependimento e resulta em salvação. Não é uma tristeza que causa remorso. Mas a tristeza do mundo resulta em morte.
>
> 2Coríntios 7.8-10

Devemos amar as pessoas de tal modo que as ajudemos a escapar de suas lamúrias e, assim, possam dedicar a vida atraindo atenção para Deus, e não para si próprias.

Não se apegue

> Por fim, irmãos, quero lhes dizer só mais uma coisa. Concentrem-se em tudo que é verdadeiro, tudo que é nobre, tudo que é correto, tudo que é puro, tudo que é amável e tudo que é admirável. Pensem no que é excelente e digno de louvor.
>
> Filipenses 4.8

Um dos maiores erros que podemos cometer é permitir que os orgulhosos dominem nossos pensamentos. Temos o hábito de deixar que nossa mente fique dando voltas em torno daquelas situações em que fomos ofendidos. Isso rouba de nós a alegria e rouba de Deus a adoração que ele merece.

Efésios 5 explica que o crente cheio do Espírito está sempre adorando e agradecendo a Deus. Satanás odeia o som de nosso louvor e de nossa ação de graças e, por isso, tem com missão interromper nossa adoração. Ele se satisfaz quando nossa mente se enche de frustração e desalento em vez de se ocupar com louvores. Não deixe que o inimigo seja vitorioso. Controle seus pensamentos.

Louve a Jesus

Isso me ajudou tremendamente. Toda vez que me sinto ofendido, começo a louvar a Jesus e lhe digo quão maravilhado sou por aquilo que ele fez. Toda ofensa que recebi não passa de piada diante do horror que Cristo teve de enfrentar. Por que razão o Criador se deixou torturar por suas criaturas? Agora mesmo, enquanto escrevo isto, fico estupefato diante de tanta humildade. Em vez de me flagelar pelo fato de não ser humilde, louvo a Jesus pela humildade dele.

Descobri que, quanto mais olho para a humildade de Cristo, mais eu o louvo e desejo ser como ele é. Dedique tempo agora para louvar a Jesus, "o líder e aperfeiçoador de nossa fé. Por causa da alegria que o esperava, ele suportou a cruz sem se importar com a vergonha. Agora ele está sentado no lugar de honra à direita do trono de Deus" (Hb 12.2).

Vença a todo custo

Sou muito competitivo. Às vezes, deixo-me consumir pela ânsia de vencer uma discussão. O amor se esvai e fico obcecado em provar que estou certo. Odeio ser assim. Quando me concentro demasiadamente em ganhar, isso indica que não estou suficientemente concentrado em Jesus. Por esse motivo, tenho buscado mudar meu modo de pensar.

Talvez haja uma forma de nós, pessoas de natureza muito competitiva, usarmos isso a nosso favor. O que ocorre é que nossas disputas são diferentes, e nossa grande vitória se dá quando vencemos em favor de Deus. Claro que não estou dizendo que nossas obras nos garantem salvação; estou afirmando que há muitos versículos nos quais Deus promete abençoar os humildes. E, embora a humildade seja um dom, não a alcançamos passivamente — o Senhor ordena que nos humilhemos. Apesar de ser algo por que oramos, também é algo por que nos esforçamos. Há um versículo que me encoraja na busca por humildade e está entre meus favoritos:

> O Alto e Sublime, que vive na eternidade, o Santo diz: "Habito nos lugares altos e santos, e também com os de espírito oprimido e humilde. Dou novo ânimo aos abatidos e coragem aos de coração arrependido".
>
> Isaías 57.15

O livro termina aqui, então você terá tempo de sobra para ler e reler essa porção das Escrituras. Não consigo pensar em um versículo melhor para encerrar esta seção. Memorize-o. Anote-o. Pinte-o na parede. Encaminhe-o como mensagem de texto aos seus amigos. Medite em cada palavra. Se isso não motivar você a lutar por humildade, nada mais o fará. Nosso Santo Deus prometeu lhe fazer companhia caso você apresente um espírito humilde e contrito.

Notas

CAPÍTULO 2
[1] Tim Sharp, em "How Far Is Earth from the Sun?", *Space.com*, 18 de out. de 2017, disponível em: <www.space.com/17081-how-far-is-earth-from-the-sun.html>. Acesso em: 11 de dez. de 2018.

CAPÍTULO 3
[1] "Religious Service Attendance (Over Time)", *Association of Religion Data Archives*, disponível em: <www.thearda.com/quickstats/qs_105_t.asp>. Acesso em: 15 de dez. de 2018.
[2] Søren Kierkegaard, *Provocations: Spiritual Writings* (Walden, NY: Plough, 2002), p. 168.
[3] Alan Hirsch, *The Forgotten Ways: Reactivating Apostolic Movements* (Grand Rapids, MI: Brazos, 2016), p. 34-35.
[4] Mike Breen, *Building a Discipling Culture: How to Release a Missional Movement by Discipling People Like Jesus Did*, 3ª ed. (Greenville, SC: 3DM Publishing, 2017), n. p.
[5] David Platt, *Radical Together: Unleashing the People of God for the Purpose of God* (Colorado Springs, CO: Multnomah, 2011), p. 59-60.

CAPÍTULO 5
[1] Mike Breen, *Building a Discipling Culture: How to Release a Missional Movement by Discipling People Like Jesus Did*, 3ª ed. (Greenville, SC: 3DM Publishing, 2017), p. 11.
[2] A. W. Tozer, *Tozer for the Christian Leader: A 365-Day Devotional* (Chicago, IL: Moody, 2001), sep. 2.

CAPÍTULO 6
[1] Hugh Halter, *Flesh: Bringing the Incarnation Down to Earth* (Colorado Springs, CO: David C. Cook, 2014), p. 119.

Capítulo 7

[1] John Collins, em "Anything Is Possible", Ironman, disponível em: <www.ironman.com/#axzz5GSFlau30>. Acesso em: 6 de jan. de 2019.

[2] "Evangelical Growth", Operation World, disponível em: <www.operationworld.org/hidden/evangelical-growth>. Acesso em: 6 de jan. de 2019.

Capítulo 8

[1] *Madagáscar*, dirigido por Eric Darnell e Tom McGrath (Glendale, CA: DreamWorks Animation, 2005).

[2] Alan Hirsch, *The Forgotten Ways: Reactivating Apostolic Movements* (Grand Rapids, MI: Brazos, 2016), p. 176.

[3] David Garrison, em "Church Planting Movements: The Next Wave?", *International Journal of Frontier Missions*, v. 21, n. 3, p. 120-121.

Capítulo 9

[1] Tim Chester e Steve Timmis, *Total Church: A Radical Reshaping around Gospel and Community* (Wheaton, IL: Crossway, 2008), p. 18.

[2] O plano de leitura (em inglês) pode ser consultado por meio do aplicativo *Read Scripture*, disponível em: <www.readscripture.org>. Acesso em: 9 de jan. de 2019.

[3] "Reach Beyond", *Great Commission Action Guide*, disponível em: <https://reachbeyond.org/Advocate/RBActionGuide.pdf>. Acesso em: 9 de jan de 2019.

[4] "25 Best Global Companies to Work For", *Fortune*, disponível em: <http://fortune.com/global-best-companies/hyatt-19/>. Acesso em: 10 de jan. de 2019.

[5] "How Many Employees Does Airbnb Have?", Quora, disponível em: <www.quora.com/How-many-employees-does-Airbnb-have-1>. Acesso em: 10 de jan. de 2019.

[6] Avery Hartmans, em "Airbnb Now Has More Listings Worldwide Than the Top Five Hotel Brands Combined", *Business Insider*, 10 de ago. de 2017, disponível em: <www.businessinsider.com/airbnb-total-worldwide-listings-2017-8>. Acesso em: 10 de jan. de 2019.

[7] "New York City, New York Population 2018", World Population Review, disponível em: <http://worldpopulationreview.com>. Acesso em: 10 de jan. de 2019.

[8] Lyle E. Schaller, *The Interventionist* (Nashville, TN: Abingdon, 1997), p. 70.

Compartilhe suas impressões de leitura, mencionando o título da obra, pelo e-mail **opiniao-do-leitor@mundocristao.com.br** ou por nossas redes sociais

Esta obra foi composta com tipografia Palatino e impressa em papel Pólen Natural 70 g/m² na gráfica Imprensa da Fé